MILTON, MIRABEAU :
rencontre révolutionnaire

La Documentation républicaine

Collection dirigée par Edouard Boeglin

Ouvrages parus :

© ÉDIMAF
ISBN : 2-84721-16-4

CHRISTOPHE TOURNU

MILTON, MIRABEAU :
rencontre révolutionnaire

EDIMAF

REMERCIEMENTS

À M. Bernard Cottret, pour son soutien indéfectible au projet ;

À M. Philippe Aubert, pour la préface ;

Au Grand Orient de France, notamment à Pierre Mollier ainsi qu'à Édouard BOEGLIN, grâce à qui le projet a pu se concrétiser ;

Au personnel de la Bibliothèque Municipale de Grenoble, pour sa disponibilité ;

Enfin, *last but not least*, à mon épouse, Catherine, pour ses lectures inlassables des épreuves, mais aussi pour sa patience, elle aussi souvent mise à l'épreuve !

Sommaire

PRÉFACE

Pouvait-on imaginer rencontre plus improbable que celle entre Milton et Mirabeau ? Cent cinquante ans séparent les deux hommes que rien, en apparence, ne prédestinait à une rencontre certes posthume, mais dont l'importance n'a pas échappé aux révolutionnaires français pourtant bousculés par le flot des événements. « *Dans un siècle tout religieux* », comme le remarque Mirabeau, Milton incarne un type idéal dont Max Weber nous dira, là encore bien plus tard, qu'il ne faut pas s'attendre à le trouver à chaque pas. Type idéal qui plus est marginal pour un Français du dix-huitième siècle. À trop confondre les genres, on en oublierait presque que le puritanisme est un phénomène exclusivement anglo-saxon en même temps qu'une expression relativement tardive et minoritaire de la Réforme protestante. D'aucuns n'auront de cesse de gommer cette marginalité qui ne semble pas compatible avec le génie universel du « *Paradis perdu* ».

Puritain, Milton le fut au sens le plus strict. Pour lui, la foi personnelle – déjà tout un programme en contradiction avec la tradition de l'Eglise –, est le fondement indispensable du salut. La grandeur politique d'une nation résulte en dernier ressort de sa pureté morale. Il ne faut cependant pas s'y tromper, une formulation en apparence aussi simple du puritanisme se fonde sur des conceptions théologiques d'une rare complexité. Milton traverse son époque faisant montre d'une ambivalence typique des intellectuels. Défenseur acharné des droits du peuple sur le roi, admirateur presque mystique d'Oliver Cromwell, on peut se demander par quel miracle il sauva sa tête lors de la restauration de Charles II.

Avec Mirabeau, c'est un autre type idéal que nous rencontrons, celui issu des Lumières, un type qui deviendra rapidement le style français. L'Histoire a retenu sa remarquable éloquence qui doit beaucoup à ce que

Voltaire a contribué à faire de la langue française, un monument de clarté, de précision et de nuance. Une éloquence au service de la politique définitivement sortie des voûtes de la scolastique ecclésiastique. Mirabeau incarne à merveille cet homme politique dont la destinée se forge à la mesure des événements. Les ambivalences de sa personnalité et de l'époque laissent à penser qu'il ne sauva sa tête qu'en mourant brusquement à l'âge de 42 ans.

Heureusement l'Histoire ignore l'improbable que seule la science mathématique arrive à faire entrer dans le monde bien réel des probabilités. À ce titre, la rencontre entre Milton et Mirabeau s'inscrit dans cette attirance française pour le modèle révolutionnaire anglais. Le sujet est trop connu pour qu'on s'y attarde longuement, Voltaire l'exprimera avec lyrisme dans la « *Henriade* » : « *Ils sont craints sur la terre, ils sont rois sur les eaux. Leur flotte impérieuse asservissant Neptune, des bouts de l'univers appelle la fortune. Londres jadis barbare est le centre des arts, le magasin du monde et le temple de Mars. Aux murs de Westminster on voit paraître ensemble, trois pouvoirs étonnés du nœud qui les rassemble. Les députés du peuple, et les grands et le roi, divisés d'intérêts, réunis par la loi.* » Tout est dit, puissance militaire, richesse économique, créativité culturelle et surtout un équilibre des pouvoirs qui repose sur la loi. On comprend cette admiration pour un peuple qui a vu naître, entre autres, des philosophes aussi prestigieux que Hume et Locke, qui a exécuté son roi sans pour autant abandonner la force symbolique de la monarchie, et qui, pour finir, a réussi une révolution conservatrice, évitant ainsi une fracture irrémédiable avec son passé, tout en fermant la porte aux aventuriers du pouvoir. En 1789, le modèle anglais était au cœur des discussions de l'Assemblée. Fallait-il reconnaître le droit absolu au roi d'empêcher, d'ajourner, de suspendre les décisions prises par la représentation nationale ? La question du veto royal n'était pas sans incidence sur celle de l'équilibre des pouvoirs, dont bon nombre de partisans se trouvaient dans le groupe des anglomanes. L'Angleterre n'exerçait pas seulement une séduction esthétique sur de nombreux intellectuels, son organisation politique apparaissait comme une possibilité pour la France. Il faudra toute la fougue de Sieyès pour montrer que le système anglais n'était pas exportable. C'est dans ce contexte politique particulièrement instable que Mirabeau apporte sa contribution au débat en traduisant deux textes de Milton en qui il découvre un redoutable polémiste. Pour Mirabeau, Milton fait partie d'un ensemble de penseurs dans lequel on trouve côte à côte Locke, Voltaire, Rousseau et d'autres encore, mais il ne cache pas la particularité confessionnelle de son modèle. Ce serait une erreur que de croire que Mirabeau tire Milton vers le rationalisme des Lumières, il ne gomme pas totalement les références bibliques qui abondent dans l'œuvre du puritain, même s'il semble plus se réjouir des nombreuses allusions aux auteurs classiques. C'est justement cette rencontre de deux mondes de référence si souvent présentés comme opposés, qui stimule encore aujourd'hui notre réflexion.

Pour ma part, je ne classerais pas Milton parmi les théoriciens politiques au même titre que Locke. L'auteur des deux « *Traités du Gouvernement* » situe lui-même son œuvre aux côtés de « *La Politique* » d'Aristote, à savoir : « *Des livres dont le but est de faire connaître les règles du gouvernement et de la propriété* ». La thèse du contrat primitif entre le peuple et le monarque ne trouve pas son origine dans la Bible, l'habillage religieux de certaines thèses de Locke ne doit pas faire illusion. S'il n'est pas question de mettre en doute la sincérité du philosophe lorsqu'il en appelle à la théologie, il faut bien reconnaître que sa pensée politique est beaucoup plus indépendante de la Bible qu'il ne veut lui-même l'admettre.

Il n'en est pas de même avec Milton qui est avant tout un penseur religieux. Aussi paradoxal que cela puisse paraître, son puritanisme le fait pencher vers une société laïcisée. Cependant, cette notion de laïcité, si importante dans la culture française, ne convient qu'imparfaitement à la pensée de Milton, pour laquelle il est préférable de parler d'une société sécularisée. La société telle que l'espère Milton doit gagner son autonomie et sa liberté en s'affranchissant des tutelles et des censures de toutes sortes. C'est un des enjeux du combat pour la liberté de la presse qui, pour Milton, dépasse largement celui de la liberté d'expression et se transforme en combat pour la liberté du savoir. La place du séculier dans la pensée miltonienne apparaît clairement dans le texte sur la liberté de la presse : « *Je n'ai jamais trouvé de raison de croire que l'existence de connaissances humaines tînt à l'existence du clergé.* » Sur ce point, Milton se situe bien dans la ligne de la réforme calvinienne pour qui le monde ne peut se ramener à l'Eglise, mais c'est l'Eglise qui doit se confronter au monde. Les idées exposées dans « *La Défense du Peuple anglais* » trouvent aussi une partie de leur origine chez des penseurs réformés, notamment les monarchomaques, mais parfois plus directement encore chez Calvin. La définition du mot tyran, si importante pour justifier la mort de Charles Stuart, est la même chez Milton que celle utilisée par Calvin dans son commentaire « *De Clementia* » de Sénèque : « *L'usage s'est établi d'appeler tyran celui qui gouverne contre la volonté des siens et qui exerce le pouvoir sans modération.* » Certes, la paternité de cette définition remonte à Aristote, mais Calvin, comme Milton, n'hésitent pas à l'utiliser contre ceux qui légitiment le pouvoir absolu par le droit divin. Ces filiations, qui mériteraient d'être affinées une à une, ne diminuent en rien l'originalité de Milton capable des plus grandes audaces théologiques. Il serait faux de considérer que Milton se contente de citer les Écritures uniquement pour argumenter ses thèses, ou pour y trouver des modèles d'organisation politique. Par des formules dont il a le secret, il donne parfois des interprétations théologiques qu'on peut considérer comme les prémices de la Théologie de la Libération. Milton est un penseur religieux radical, et son radicalisme théologique se retrouve dans la dimension politique de ses écrits : « *Dieu se manifeste bien plus dans un peuple qui dépose son souverain inique, que dans un monarque qui imprime un peuple innocent.* » C'est de la manifestation de Dieu dont il est question dans ce passage ; force est de reconnaître qu'il est difficile d'être plus radical au dix-septième siècle et aujourd'hui encore.

On doit remercier Christophe Tournu pour cette édition critique de deux grands textes grâce auxquels nous retrouvons deux personnages d'exception. Les temps ont changé, les styles aussi, mais les démocraties ne peuvent faire l'économie des grands débats abordés dans ces pages. À la question de la liberté de la presse, toujours d'actualité, s'ajoute pour nos sociétés celle de la transparence et du secret. Dans un tel débat, il n'est pas étonnant de rencontrer Milton. Le puritanisme, dans ses formes sociales et politiques, peut se comprendre comme la volonté de mettre en œuvre une société transparente. Pour ce qui est de la souveraineté des peuples, un phénomène aussi complexe que la mondialisation nous en montre toute l'actualité.

Philippe Aubert,
Vice-Président de la Société Française de Théologie,
Pasteur de l'Eglise Réformée d'Alsace et de Lorraine
9 octobre 2001

INTRODUCTION

En 1789, François Linguet, dans *La France plus qu'anglaise*, voit un présage dans la dénonciation du principal ministre du roi, Loménie de Brienne, par un arrêt du Parlement de Paris du 25 septembre 1788. Cet événement, il le rapproche de la mise en accusation du Comte de Strafford, ministre de Charles Ier, aussitôt exécuté (10 mai 1641). On connaît la suite : « Dieu veuille que les faits subséquents ne se ressemblent pas », s'exclame M. Linguet. (p. 56)

On dit souvent que l'Histoire a la fâcheuse manie de se répéter, qu'il faut prendre garde aux enseignements du passé pour agir dans le présent ou s'engager dans l'avenir. Cependant, il faut bien se garder de rechercher *systématiquement* un précédent pour justifier ses actions : les circonstances actuelles, propres à un contexte topique, ne sauraient avoir d'équivalent dans le passé. Lorsque l'on veut relier la Révolution française de 1789 à la révolution anglaise de 1642-60, il faut se poser plusieurs questions : d'abord, les deux révolutions sont-elles comparables en leurs causes ? Eurent-elles des effets identiques ? Qu'en est-il de leur déroulement ? Encore plus important : les hommes de 1789 se réclamaient-ils eux-mêmes du précédent anglais ?

1. Révolution anglaise, Révolution française : même combat ? Causes et Effets - Proche et Lointain

Quel fut leur aboutissement : la Révolution française a réussi ; la Révolution anglaise a échoué. Certes, l'une comme l'autre débouchent sur

11

l'exécution d'un roi, bien que la méthode choisie soit différente : l'un, Charles Ier, perd la tête sur l'échafaud, l'autre, Louis XVI, sur la guillotine. L'une comme l'autre débouchent sur une dictature de salut public, l'une avec Oliver Cromwell, l'autre avec Napoléon Bonaparte, figures que Victor Hugo a rapprochées pour la postérité. L'une comme l'autre aura son épilogue quelques décennies plus tard, mais il est bien différent : en 1688, pour l'Angleterre, avec l'intronisation de Guillaume d'Orange, Stathouder des Provinces-Unies[1], de son épouse, Marie Stuart, fille du roi destitué Jacques II (1685-88) ; en 1830, pour la France, avec la succession de Louis-Philippe Ier (Monarchie de Juillet).

À partir de là, beaucoup les sépare : en 1848, la royauté disparaît en France alors que la reine Victoria poursuit avec éclat l'œuvre de ses ancêtres. Si encore aujourd'hui la Constitution française s'inscrit en droite ligne de la Déclaration des droits de 1789, la Constitution britannique est en un sens le prolongement de la Restauration de 1660 : celle-ci gomme les événements de 1642-60 puisqu'elle considère la période comme *l'interrègne*, un *hiatus*, une sorte de parenthèse malheureuse dans l'histoire de l'Ile. La perception des deux révolutions par les historiens est elle aussi révélatrice d'un fossé, d'un démarcage : dans l'esprit d'un bon nombre d'historiens, la Révolution française marque la fin de l'Ancien régime, d'un mode de gouvernement devenu archaïque, tandis que la Révolution anglaise augure un nouveau régime, celui de la monarchie constitutionnelle : elle ne renvoie plus à 1640-60, mais à la Révolution de 1688, vue comme l'aboutissement logique de 1640-60.

Fait jusqu'alors inouï dans l'histoire de l'Europe moderne, un pays, l'Angleterre, au lendemain de deux guerres civiles (1642-46 ; 1648), faisait comparaître son roi devant une Cour de justice, laquelle le condamnait à mourir par décapitation, jugement exécuté le 30 janvier 1649 devant son propre Palais (Whitehall). Il s'ensuivit « la République et l'État libre » d'Angleterre (1649-53), « régime sans roi ni Chambre haute », que relayaient bientôt le Protectorat d'Oliver Cromwell (1653-58), celui de son fils Richard (1658-59), avant que l'on ne restaure la royauté avec Charles II (4 mai 1660).

À en croire la *Grande Remontrance* qu'adresse le Parlement au roi Charles Ier le 22 novembre 1641, l'origine des événements dramatiques est entièrement religieuse :

---

1. Guillaume III (1688-1701) avait épousé sa propre nièce.

« La racine de tout le mal est, selon ce que nous avons trouvé, le dessein mauvais et pernicieux de renverser les lois fondamentales du royaume, dont les acteurs et promoteurs sont les papistes enjésuités [...], les évêques et la partie corrompue du clergé, et les conseillers et courtisans qui se sont consacrés à favoriser les intérêts de certains princes étrangers au détriment de V[otre] M[ajesté], au grand dam de la religion et de la prospérité du royaume[2]. »

Les royalistes, avec Edward Hyde, Comte de Clarendon, imputent la responsabilité de la situation à un mouvement religieux, le *puritanisme* : « Ces ministres de l'Église (le clergé puritain)... étaient les seules trompettes de la guerre, des incendiaires propres à pousser à la rébellion[3]. » Sir William Dugdale les qualifie de « prédicateurs séditieux » puisqu'ils prétendaient que « le gouvernement [monarchique] était conçu pour être arbitraire, et qu'on allait probablement introduire le papisme[4]. »

Au motif religieux s'ajoute un motif politique : le pamphlétaire John Milton, en 1642, voyait l'origine des troubles dans « l'état corrompu de l'Église », que Charles Ier se refusait à réformer ; en 1660, à la veille de la restauration, il les voit comme inhérents à une joute constitutionnelle, à « une lutte acharnée et sans fin » opposant les droits des sujets au pouvoir du roi[5].

En France, François Guizot fut le premier historien à parler de révolution pour décrire les événements de 1640-60 en Angleterre. Dans le *Discours sur l'histoire de la révolution d'Angleterre*, ajouté, en guise d'introduction générale, pour la réédition, en 1850, des deux premiers volumes de l'*Histoire de Charles Ier depuis son avènement jusqu'à sa mort* (1827), il compare la révolution anglaise à la Révolution française : le sous-

---

2. Cité dans Bernard Cottret, *Histoire d'Angleterre XVIè-XVIIIè siècle*, Paris, PUF, 1996 ; 98. Voir Charles de Casaux, *Simplicité de l'idée d'une Constitution* (1788 ; p. 120) : « La pierre de scandale... en France (les privilèges pécuniaires) n'existe pas en Angleterre. »
3. *The History of the Rebellion and Civil Wars in England* (1702-4), *in* Gertrude Huehns (éd.), *Clarendon : Selections*, Oxford, OUP, 1978, 254.
4. Sir. William Dugdale, *Short View of the Late Troubles in England* (Londres, 1681), *in* R. C. Richardson, *The Debate on the English Revolution,* 3e éd., Manchester, Manchester UP, 1998 ; 23-24.
5. *Principe du Gouvernement de l'Église* 1 : 798 ; *La Manière prompte & facile d'établir une libre République* 7 : 446.

titre, *Pourquoi la révolution d'Angleterre a-t-elle réussi ?*, implique que la seconde, elle, a échoué : « La révolution d'Angleterre a réussi. Elle a réussi deux fois. Ses auteurs ont fondé en Angleterre la monarchie constitutionnelle ; ses descendants ont fondé, en Amérique, la république des États-Unis[6]. » C'était au lendemain de 1848 : la France n'avait pas su établir de gouvernement représentatif, garant de la liberté dans l'ordre ; en outre, selon Guizot, les esprits n'étaient pas préparés à l'exercice de la liberté. Les Anglais avaient établi un équilibre des pouvoirs ; l'esprit d'examen, cher à la Réforme protestante, les avait conduit à rejeter l'absolutisme religieux, indissociable du politique. Le Français du XXIe siècle voit les choses différemment : il ne fait aucun doute pour lui que la Révolution de 1789 a réussi puisqu'elle débouche sur la IIIe République. Et il constate, d'une part, que Guizot écrit bien avant 1870 ; d'autre part, qu'il est plein d'amertume puisqu'il vient d'être chassé du pouvoir.

Il décèle néanmoins un rapprochement : « suscitées par les mêmes causes, par la décadence de l'aristocratie féodale, de l'Église et de la royauté [*parce qu'elles vivaient ensemble dans une molle paix*], elles ont travaillé à la même œuvre, à la domination du public dans les affaires publiques[7]. »

Si les royalistes étaient aux prises avec les révolutionnaires, si les partis religieux se battaient pour réformer l'Église, « leur lutte couvrait une question sociale, la lutte des classes diverses pour l'influence et le pouvoir. » Non que celles-ci fussent clairement séparées, mais, « depuis un siècle, de grands changements étaient survenus dans la force relative des classes diverses de la société, sans que des changements analogues se fussent opérés dans le gouvernement. » La structure politique avait cessé de correspondre à la réalité économique, analysait avec lucidité James Harrington[8]. Pour François Guizot, « la haute aristocratie ne possédait plus, et n'apportait plus à la royauté, qu'elle continuait d'entourer, la même prépondérance dans la nation. Les bourgeois, les gentilshommes de comté, les fermiers et les petits propriétaires de campagne [*yeomen*], [alors] fort nombreux, n'exerçaient pas sur les affaires publiques, une

---

6. François Guizot, *Histoire de la Révolution d'Angleterre 1625-60*, Paris, Éd. Robert Laffont, 1997 ; 15.
7 François Guizot, *op. cit.*, 6.
8. John Greville Agard (Ed.), *The Political Works of James Harrington*, Cambridge, Cambridge UP, 1977 ; 201.

influence proportionnée à leur importance dans le pays. » Or, l'activité commerciale, mêlée à l'ardeur religieuse, leur procuraient un formidable élan. « Ils avaient grandi plus qu'ils ne s'étaient élevés. De là, un fier et puissant esprit d'ambition, prêt à saisir toutes les occasions d'éclater. La guerre civile ouvrait un vaste champ à leur énergie et à leurs espérances (…) ; des symptômes certains révélaient déjà un grand mouvement social au sein d'une grande lutte politique, et l'effervescence d'une démocratie ascendante se frayant un chemin à travers les rangs d'une aristocratie affaiblie et divisée[9]. »

Tout autre est l'analyse d'Alexis de Tocqueville. Ce dernier, en 1856, considérait avec beaucoup de perspicacité, dans *L'Ancien Régime et la Révolution*, les « Ressemblance et dissemblance des Révolutions de 1640 et de 1789[10]. »

Le passage mérite d'être cité *in extenso* :

« *Ressemblances* :

1. Effort instinctif et en même temps théorique et systématique vers la liberté, l'affranchissement civil et intellectuel réclamé comme un droit absolu. Par là, non seulement elles se tiennent, mais elles se rattachent l'une et l'autre au grand mouvement de l'esprit humain moderne en tant qu'elles sont l'effet des mêmes causes.

2. Effort, mais à un degré extrêmement inégal, vers l'égalité.

Différences :

1. Bien que les deux révolutions aient été en vue de la liberté et de l'égalité, il y a entre elles cette immense différence que la Révolution d'Angleterre a été faite presque uniquement en vue de la liberté, tandis que celle de la France a été faite principalement en vue de l'égalité.

2. La multitude, le peuple proprement dit, n'a pas joué le même rôle dans les deux Révolutions : son rôle a été principal dans celle de la France. Il a presque toujours été secondaire dans celle d'Angleterre qui a été non seulement commencée, mais conduite par une grande partie des hautes classes ou des classes moyennes, aidée par la puissance organisée de l'ar-

---

9. François Guizot, *op. cit.*, p. 20.
10. Alexis de Tocqueville, *Œuvres Complètes*, Tome II, 2e partie, Gallimard, Paris, 1953 ; 334-35.

mée. Elle s'est servie des anciens pouvoirs en les étendant, plutôt qu'elle n'en a créé de nouveaux.

3. La troisième différence, c'est que la Révolution française a été antireligieuse, tandis qu'à bien la regarder, la Révolution d'Angleterre a été plus religieuse que politique. Quand on voit l'espèce de facilité avec laquelle Charles Ier a tenu tête à ses ennemis tant qu'il n'a eu en face de lui que des passions politiques, la rudesse et l'intermittence de ces passions qui, plus que les autres, étaient en même temps moins vives et moins tenaces, la nécessité où ont été les chefs des partis politiques, pour lutter, d'appeler à leur aide et contre leur gré l'appui des passions religieuses, on se sent plein de doutes sur le point de savoir si, sans la complication religieuse, l'Angleterre ne se fût pas laissé entraîner par le courant qui à cette époque menait toute l'Europe vers le pouvoir absolu. Le service qu'a rendu la Révolution d'Angleterre[11]… »

Sur le plan idéologique, les deux révolutions (1640-1789) peuvent s'apparenter, bien qu'elles ne soient pas rigoureusement identiques ; en revanche, par leur mobile comme par leurs protagonistes, elles diffèrent sensiblement.

Il est crucial de voir si les instigateurs de la Révolution française envisageaient le rapprochement avec l'Angleterre de 1642 à 1660. On trouve deux documents particulièrement intéressants : l'un, *Essai sur les causes qui, en 1649, amenèrent en Angleterre l'établissement de la République, sur celles qui devaient les consolider, sur celles qui l'y firent périr*, par Boulay de la Meurthe, Antoine-Jacques-Claude-Joseph, Cte (Paris, Baudoin, an VII (132 p.)), l'autre, *De la Révolution française, comparée à celle de l'Angleterre, ou Lettre au représentant du peuple Boulay (de la Meurthe), sur la différence de ces deux révolutions*, par Jean-Bapiste Salaville (Paris : an VII ; 44 p.)[12].

La cause immédiate de la révolution anglaise, s'exclame A. de Boulay, n'est autre que « la liberté aux prises avec le despotisme ; » ensuite, il examine les causes « moins apparentes, mais plus réelles, » de la chute de Charles Ier : en 1649, écrit-il, « la République était dans la force des

---

11. En note : « Ce texte griffonné au crayon d'une main tremblante… s'arrête brusquement au bas d'un feuillet. » A. de Tocqueville, *op. cit.*, 335.
12. Les ouvrages sont à la BNF - Tolbiac : J.-B. Salaville : 8- LA32- 336 *support imprimé* ; Antoine J.-C. J., Cte de Boulay : 8- NC- 935 *support imprimé*.

choses, dans celle de l'opinion ; » dans le dernier chapitre, il dit que son échec, en 1660, est dû aux errances du peuple anglais, à la tyrannie des factions républicaines, au machiavélisme des royalistes, mais qu'il s'explique surtout par « le mécontentement de toute la nation. » (1-3) Ainsi inversait-il, par anticipation, la formule de F. Guizot en se demandant *pourquoi la révolution anglaise n'a pas réussi.*

Il ne faut pas s'en laisser conter : il s'agit bien d'un message à l'adresse des révolutionnaires. J.-B. Salaville l'a bien compris : « C'est un avertissement indirect que vous avez voulu nous donner de ne pas nous conduire comme les Anglais à [l']époque [de la Révolution d'Angleterre]. » Considérant la seule dernière partie du livre, il précise sa pensée : « En nous représentant le tableau de leurs folies, de leurs divisions, de leurs excès et enfin du régime tyrannique et dilapidateur par lequel ils voulurent établir la république, vous avez espéré que nous nous reconnaîtrions nous-mêmes… et que… nous sentirions la nécessité d'adopter une autre conduite, de suivre un autre système, et en un mot, de faire tout autre chose que ce que nous avons fait jusqu'ici. »

Cet ouvrage, déplore Salaville, produit l'effet inverse de celui escompté par Boulay : « il décourage les vrais républicains,… et ranime singulièrement les espérances des royalistes par l'espèce de conformité qu'ils croient apercevoir entre la révolution d'Angleterre et celle qui vient de s'effectuer chez nous. » Aussi devra-t-il s'efforcer « de montrer combien peu se ressemblent les deux révolutions. » (1-2)

Au lendemain de la convocation des États-Généraux, plusieurs politiques font référence à la révolution anglaise, mais il s'agit de celle de 1688. On la prend comme exemple parce que l'Angleterre est florissante au XVIIIe siècle, qu'elle est un modèle d'équilibre institutionnel. Or, l'on rêve de réforme en 1789 : faut-il créer une assemblée bicamérale pour la députation nationale ? En France, il n'y a aucune représentation parlementaire : Louis XVI faisait enregistrer ses édits par la *Curia regis*, cour de justice ayant juridiction sur plus de la moitié du royaume ; pour le reste, il n'y avait pas moins de douze parlements de province, le Parlement de Paris, ainsi que 4 conseils souverains. Un Parlement national, d'autre part, pourrait se subdiviser en deux parties : une Chambre haute, celle du clergé et de la noblesse, et une Chambre basse, celle du Tiers-état. Le roi, comme en Angleterre, pourrait faire partie du Parlement : la monarchie anglaise n'a jamais été absolue : Jean Bodin, dans *De la République* (1536), comme

Sir Thomas Smith, dans *De anglorum republicae* (1559), évoquent un système équilibré, avec 3 ordres : le monarque ; les pairs ; les communes. Il s'agit d'une monarchie constitutionnelle, que l'on rapproche souvent de l'organisation polybienne du gouvernement. L'Angleterre faisait l'admiration des philosophes des Lumières, Voltaire ou Montesquieu. Ce dernier, en France, va mettre en place le fondement théorique du bicamérisme : dans *l'Esprit des lois*, il avance que le système anglais a su préserver l'équilibre des pouvoirs par la coexistence heureuse de deux assemblées, l'une représentant les nobles, l'autre représentant le peuple. Le morcellement du pouvoir est la condition *sine qua non* de la liberté. Si le pouvoir exécutif doit demeurer séparé de la puissance législative, celle-ci doit également être duale.

À la veille de la Révolution, les réflexions sont nombreuses, à commencer par celles de Charles de Casaux, *Simplicité de l'idée d'une Constitution*, où un chapitre évoque « les points de la Constitution d'Angleterre… intéress[ant] plus particulièrement la France dans la circonstance actuelle » (pp. 108-81), de Jean-Louis de Lolme, *Constitution de l'Angleterre, ou État du Gouvernement anglais, comparé avec la forme républicaine & les autres monarchies de l'Europe* (1771), lui-même réfuté par l'*Examen du Gouvernement d'Angleterre, comparé aux Constitutions des États-Unis*, de William Livingston, traduit par Condorcet (1789). La *Lettre de l'Abbé Raynal à l'Assemblée nationale* le 20 décembre 1789 se réjouit de ce que

« Vous voulez aller plus loin & plus haut que les Anglais ; vous prétendez rendre votre gouvernement plus populaire & votre représentation nationale plus juste ; l'entreprise est sans doute plus belle que ne l'a été la leur, & elle est plus digne de votre siècle. » (p. 5)

Comme dans un jeu de miroirs, les Anglais aussi se penchent sur la Révolution française : Edmund Burke, dans un discours à la Chambre des Communes le 9 février 1790, se dit étonné que l'on compare « cet étrange & bizarre événement » (1789) à la révolution *constitutionnelle* anglaise de 1688 : celle-ci, en fait, n'en fut pas une, puisque l'ordre social fut préservé, que l'on ne dégrada point la monarchie : « nous prévînmes, plutôt que nous ne fîmes, une révolution. » Au contraire de ce qu'avait fait la France par ses « excès[13]. » Son contradicteur, Thomas Paine, observe dans les

---

13. Edmund Burke, *Discours de M. Burke, sur la situation actuelle de la France* (1790), pp. 25-27.

Droits de l'homme qu'« en Angleterre,... la révolte fut contre le despotisme personnel » de deux rois, Charles Ier - Jacques II, alors qu'« en France, [elle] fut contre le despotisme héréditaire du gouvernement établi. » (p. 19)[14]

Lorsque l'on réclame la liberté de la presse, il est logique que l'on aille rechercher la référence anglaise. C'est ce que fait Mirabeau en 1788 avec l'*Areopagitica* de John Milton, publié en 1644. C'est encore ce qu'il fait l'année suivante lorsqu'il brandit *La seconde défense du peuple anglais* (1651) du même Milton. Tout comme Milton se voulait le chantre des libertés anglaises conquises, Mirabeau voulait se faire le porte-drapeau des libertés françaises à conquérir.

2. Mirabeau - Occasion des deux Traductions

2. 1. *Honoré-Gabriel Riqueti, Comte de Mirabeau* (Le Bignon (Loiret) : 1749 - Paris : 1791), était un homme laid, impétueux, mais remarquablement intelligent, que la nature devait en outre douer d'une formidable éloquence. Son père ne l'aimait guère : il fait emprisonner son fils lorsque celui-ci, incorporé dans l'armée (1767), a une aventure avec la favorite d'un général. En 1772, Honoré-Gabriel épouse une riche héritière, Émilie, fille du Marquis de Marignane. Endetté, il est enfermé au Château d'If sur ordre de son père, lequel voulait ainsi le soustraire à ses créanciers (1775). Assigné à résidence à Pontarlier, il s'éprend d'une jeune femme, Sophie de Ruffey, épouse du Marquis de Monnier : les amants s'enfuient en Suisse, arrivent aux Pays-Bas, où ils sont arrêtés le 14 mai 1777. Mirabeau sera enfermé au donjon de Vincennes jusqu'au 13 décembre 1780. C'est là qu'il écrit ses fameuses *Lettres à Sophie*. Libéré, il accourt en Provence dans l'espoir de se réconcilier avec sa femme — en vain : les époux se séparent à la suite d'un procès retentissant (1782). En 1784, il part pour Londres, accompagné de sa nouvelle maîtresse, Henriette-Marie Van Haren, femme du sculpteur Lucas de Montigny. C'est là qu'il se consacre à plusieurs écrits politiques, où il dénonce notamment l'absolutisme royal[15]. À court d'argent, dévoré par l'ambition, il écrit encore à son

---

14. Thomas Paine, *Droits de l'Homme, ou réponse à l'attaque de M. Burke sur la révolution française*, trad. François Soules, Paris, 1791 ; p. 19.
15. *Considérations sur l'ordre de Cincinnatus*, Londres (1784).

retour à Paris. Il obtient de Calonne une mission secrète en Prusse ; en 1787, son *Histoire secrète de la cour de Berlin* fait scandale. Calonne refusant de l'employer de nouveau, il s'en prend à lui dans sa *Dénonciation de l'agiotage* (1787). Conseillant au Parlement de demander la convocation des États Généraux, il cherche à s'y faire envoyer d'abord par l'Alsace, ensuite par la Provence ; rejeté par l'assemblée de la noblesse, malgré ses origines, il est élu député du Tiers-état, le 6 avril 1789, à Aix ainsi qu'à Marseille, optant finalement pour Aix.

Tribun passionné, il joue l'un des premiers rôles à l'Assemblée Constituante.

Le 23 juin 1789, alors que le grand maître de cérémonie demande à l'Assemblée de se séparer, Mirabeau lance la fameuse apostrophe : « allez dire à votre maître (le roi) que nous sommes ici par la volonté du peuple, et que nous n'en sortirons que par la force des baïonnettes. » C'est alors qu'il prend une part déterminante dans la révolution, mais il joue aussi un double jeu puisqu'il ambitionne de devenir ministre : pressentant le danger, l'Assemblée décrète qu'aucun député ne pourra devenir ministre (7 novembre). Mirabeau se désolidarise progressivement des patriotes pour défendre les prérogatives royales, qu'il avait condamnées à plusieurs reprises. Une brochure, la *Grande trahison du Comte de Mirabeau* (1790), l'accuse. Introduit à la cour par le Marquis de La Marck, il est conseiller secret de Louis XVI. Malgré la suspicion croissante à son égard, il est porté à la présidence de l'Assemblée le 31 janvier 1791 quand il meurt brusquement (2 mars). Il avait 42 ans.

2. 2. *L'occasion de ses deux traductions de Milton.*

Mirabeau, probablement lors de son séjour à Londres, découvre les écrits de John Milton. En 1788, il publie son *Areopagitica : a discourse for the Liberty of Unlicens'd Printing* (1644), devenu *Sur la liberté de la presse, imité de l'anglois de Milton, par le Cte de Mirabeau* (Londres, 1788), lorsque l'on tente de supprimer le *Précis des procès-verbaux des administrations provinciales depuis 1779 jusqu'en 1788. Ouvrage contenant le résumé des objets traités dans les différents bureaux* (Strasbourg : Levrault, 1788), 2 vol. in-8° reliés en 1. C'est là probablement que, passionné, poussé par l'ambition, emporté par l'agitation politique, il se sent le défenseur des droits du citoyen français comme Milton fut le défenseur du peuple anglais avec sa *Pro Populo Anglicano Defensio* (1651).

Un livre d'utilité publique venait d'être censuré alors que l'arrêt du Conseil du roi du 5 juillet 1788 avait concédé une liberté *de fait* à la presse, lorsqu'il appelait les « personnes instruites » du royaume de France à présenter au garde des Sceaux leurs idées sur les formes dans lesquelles les États-généraux devaient se réunir (les derniers dataient de 1614), ainsi que les matières sur lesquelles ils devaient délibérer.

Une fois porté aux États-généraux, Mirabeau, ayant le souci d'informer ses mandants des débats de l'Assemblée, publie le *Journal des états-généraux*, bientôt censuré « comme injurieux, et portant avec lui, sous l'apparence de la liberté, tous les caractères de la licence », par un arrêt du Conseil du roi en date du 6 mai 1789 ; la veille, le roi interdisait la publication des écrits périodiques[16] :

« Après nous avoir leurrés d'une tolérance illusoire & perfide, un ministère, soi-disant populaire, ose effrontément mettre le scellé sur nos pensées, privilégier le trafic du mensonge, & traiter comme objet de contrebande, l'indispensable exportation de la vérité[17]. »

Mirabeau dénonce « un veto ministériel. » (Id.) La bonne foi de Louis XVI n'est pas en cause, mais il envisage une réforme en la matière : le 23 juin, il demande aux États-généraux de lui faire connaître « le moyen le plus convenable de concilier la liberté de la presse avec le respect dû à la religion, aux mœurs et à l'honneur des citoyens[18]. »

La question préoccupe également le peuple : il est dans l'intérêt du roi d'accorder la liberté de la presse s'il veut « renverser les barrières élevées entre lui et ses sujets », dit un anonyme ; il faut l'établir, « pour empêcher le gouvernement d'être pernicieux » : « la Presse est le grand, l'unique moyen de communication entre les députés du peuple, & le peuple[19]. » Tout simplement, demande Charles de Casaux dans *Différence de trois mois* (1788), « peut-on s'intéresser à la chose publique sans folie, si l'on n'a pas le droit d'en écrire & d'en parler ? » (p. 39)

---

16 *Le Moniteur Universel*, n°2 [du 6 au 14 mai 1789], p. 2.

17. *Première Lettre du Comte de Mirabeau*, 10 mai 1789.

18. Article 16 de la « Déclaration des Intentions du Roy », *in* George Lefebvre, *Recueil de documents relatifs aux Séances des États-généraux*, Paris, Éditions du CNRS, 1962 ; Tome 1er, 2e partie, p. 280.

19. Anonyme, *Liberté de la Presse* (1789) ; J.-B. Brissot : *Mémoire aux États-généraux sur la nécessité de rendre la presse libre, Et surtout pour les journaux politiques* (1789).

L'Assemblée nationale, lors de la discussion de l'article XI de la Déclaration des Droits (24 août 1789), affirme que « la censure est pour le génie, ce que la *Bastille* était pour la liberté, le fléau le plus redoutable de l'homme en société[20]. » Cette expression rappelle Diderot, *Lettre... sur le commerce de la librairie* (1763) : « C'est le sort de presque tous les hommes de génie ; ils ne sont pas à portée de leur siècle ; ils écrivent pour la génération suivante. » L'*Areopagitica*, que Mirabeau avait publié à Londres à l'attention des Français, comme un de Gaulle y fit un appel pour la libération de son pays, sonnait comme un glas à la Tyrannie.

La liberté de la presse doit favoriser le progrès social : Mirabeau dit que l'Angleterre prospère parce qu'elle a la liberté de la presse. On pourrait en douter puisque la presse n'est légalement libre qu'aux États-Unis d'Amérique, nouvellement constitués (1776).

En France, plus particulièrement à Paris, la liberté de la presse prend fin le 10 août 1792 lorsque l'on décide de supprimer les écrits royalistes. C'est aussi le moment où sort des presses une seconde édition de la traduction de Mirabeau ! Enfin, un décret de la Convention nationale du 23 mars 1793 crée les délits de presse. Tout écrivain ayant proposé de rétablir la monarchie, excité au meurtre ou encouragé à la violation des propriétés, était passible de 6 mois de fers ; de mort si l'article avait été suivi d'effet.

On ne sait presque rien, en dehors des pages de Mirabeau sur Milton,[21] des circonstances de l'écriture de *Théorie de la royauté, d'après la doctrine de Milton* 1789, 1790, *Doctrine de Milton sur la royauté, d'après l'ouvrage intitulé : Défense du peuple anglais.* [Par le Cte de Mirabeau.] (1789) *Théorie de la royauté, d'après les principes de Milton, avec sa – Défense du peuple –*, par Mirabeau, 1791 (Une note mss. au titre porte : – Ou plutôt par Salaville)[22]. Le livre, repris en 1792 sous le titre *Défense*

---

20. *Débats à l'Assemblée Nationale, Sur la liberté de la presse*, p. 3. Article XI : « La libre communication des pensées et des opinions est un des droits les plus précieux de l'homme ; tout citoyen peut donc parler, écrire, imprimer librement, sauf à répondre de l'abus de cette liberté dans les cas déterminés par la loi. »
21. Voir n. 24.
22. Jean-Baptiste Salaville (1755-1832), écrivain politique, journaliste, fut l'un des compilateurs ou copistes que Mirabeau employait pour préparer ses écrits ou ses discours. Plusieurs bibliographes lui attribuent, « sans donner aucun motif à [leur] opinion] », la *Théorie de la royauté, d'après la doctrine de Milton* (1789). « Il est possible que Salaville ait aidé Mirabeau, mais [il est certain que] la pensée première,

du peuple anglais sur le jugement et la condamnation de Charles Ier, roi d'Angleterre, par Milton. Ouvrage propre à éclairer sur la circonstance actuelle où se trouve la France. (réimprimé aux frais des administrateurs du département de la Drôme ; Valence : P. Aurel, 1792 ; In-8, 100 p.) prend une résonance particulière puisque Louis XVI, jugé, condamné, sera décapité le 21 janvier 1793.

Lors de la journée décisive du 7 novembre 1792, le député Jean-Baptiste Mailhe fait part à l'Assemblée du rapport relatif au jugement de Louis XVI : « Est-il vrai que la Convention nationale, si elle se détermine à juger elle-même Louis XVI, doive s'assujettir aux formes prescrites par les procès criminels ? », demande-t-il. Là encore, la référence au précédent anglais est explicite :

« On reproche au parlement d'Angleterre d'avoir violé les formes (…) Charles Stuart était inviolable comme Louis XVI ; … il ne pouvait être accusé ni jugé par aucun [des corps établis] ; il ne pouvait l'être que par la nation. (…) Mais le parlement lui-même n'était qu'un corps constitué. Il ne représentait pas la nation dans la plénitude de sa souveraineté. (…) Il ne pouvait… ni juger le roi, ni déléguer le droit de le juger. Il devait faire ce qu'a fait en France le corps législatif. Il devait inviter la nation anglaise à former une Convention. Si la chambre des communes avait pris ce parti, c'était la dernière heure de la royauté en Angleterre. »

Déjà, J.-P. Brissot, dans son *Discours sur la question de savoir si le Roi peut être jugé* (10 juillet 1791), répondait par l'affirmative en citant l'exemple anglais : « L'Angleterre a pu, lors de la révolution de 1640, soutenir pendant dix ans, pour recouvrer sa liberté, la guerre intestine la plus désastreuse, & gagner des batailles au dehors », gageons que la France réussira ! (p. 19) Il y ajoutait un argument de doctrine politique :

Si vous êtes forcé de convenir cela [qu'un homme coupable du plus grand des crimes doit être puni], vous aurez vous-même jugé Charles Ier.

Cette doctrine est encore nouvelle en France ; elle méritera d'être approfondie ; elle a été soutenue victorieusement par [John] Goodwin, Milton, [Algermon] Sydney, Locke, etc., et qui le croirait ? par un Jésuite, Mariana… [Elle] a été mise en évidence populaire, dans un excellent pamphlet, publié en 1738, sous le titre : « A Dialogue between a Gentleman

---

et la charpente… appartiennent en propre à l'orateur. » (Source : *Biographie universelle*).

and a Farmer »,… pamphlet du célèbre [Sir William] Jones, à présent à la tête de la cour suprême du Bengale. » (p. 49)[23]

Cela permet d'affirmer qu'en 1789, au moment où il publie *Théorie de la royauté, d'après Milton*, Mirabeau est soit précurseur soit opportuniste ; sachant qu'il devait par la suite composer avec la Cour, il faut opter pour la seconde proposition, d'autant qu'il désapprouve le républicanisme de son auteur :

« La grande faute que commirent les Anglais ne fut pas de punir un roi coupable, mais de proscrire la royauté ; comme si elle eut été complice des attentats de celui qui en était revêtu [Charles Ier]. (p. lvi).

3. Le legs Miltonien - L'héritage révolutionnaire

Mirabeau avoue ne pas avoir fait une véritable découverte lorsqu'il est allé chercher Milton : « Tout le monde sait que Milton est un des plus beaux génies qu'ait produits la Grande-Bretagne, » notamment pour ses œuvres poétiques. Cependant, il voudrait lui faire justice : « il me semble que Milton, poète, ne doit pas faire entièrement oublier Milton, prosateur. » Mirabeau souligne assez justement que Milton dut sa réputation « de grand écrivain » de son vivant alors que le poète ne fut reconnu qu'au lendemain de sa mort (Cf. les romantiques : William Blake).

Ses écrits de controverse sont de nature topique : citant La Bruyère, Mirabeau dit que « quand les contestations qui leur ont donné lieu n'existent plus, [ils] sont ordinairement regardés comme des almanachs de l'autre année. » Il objecte aussitôt que « Milton a traité des questions trop importantes pour qu'on puisse lui appliquer pareille observation, » en particulier sur le divorce, la liberté de la presse, les droits des peuples ou des rois. « Ce ne sont pas là des matières dont l'intérêt soit limité. » Il s'agit bien de questions a-temporelles, de questions universelles ; en outre, il est essentiel de connaître « l'opinion d'un grand homme » en la matière.

Mirabeau le récupérateur, le restaurateur d'œuvres perdues dans l'écume du Temps, a récupéré Milton le fossoyeur, le pourfendeur de la

---

23. John Goodwin, Right and might well met (1648) ; Juan de Mariana, *de Rege et regis institutione* (1605) ; Algernon Sidney, *Discourses concerning government* (1698).

tyrannie, en s'imposant « la tâche pénible de fouiller dans [ses] dissertations polémiques, pour en extraire les principes politiques noyés dans le détail des circonstances et dans l'érudition verbeuse de son temps. » Il s'agissait de faire renaître ses œuvres en les rafraîchissant, en leur apportant un second souffle[24].

Mirabeau précise qu'il s'est surtout consacré, nonobstant sa traduction de l'*Areopagitica*, sur « la liberté illimitée de la presse »,[25] à sa fameuse *Défense du Peuple anglais* que l'Irlandais John Toland, francmaçon comme lui, appelle « la pièce maîtresse. » Ce John Toland (1670-1721), catholique converti au protestantisme, avait fait scandale avec la publication du *Christianisme Sans Mystères* (1696),[26] ouvrage dans lequel il affirme que les vérités bibliques peuvent être appréhendées par la seule raison. Une seconde édition, non anonyme, lui valut la disgrâce. Il dut s'exiler ; son livre fut brûlé, l'auteur poursuivi. En 1698, il publie une biographie de John Milton : *Vie de Milton*. Un passage lui valut les foudres de l'orthodoxie parce qu'il aurait mis en cause l'authenticité du Nouveau Testament. En 1701, grâce à son soutien à l'Acte d'Union dans *Anglia Libera*, il sera accueilli à la cour hanovrienne par l'Électrice Sophie. Il adresse ses *Lettres à Séréna* (1704) à sa fille, Sophie Charlotte ; il y affirme, rejetant la conception cartésienne, que la matière est en perpétuel mouvement, idée qu'il reprend dans son *Pantheisticon* (1720). Cependant, endetté, alcoolique, malade, John Toland finit sa vie dans la misère, en 1722.

Mirabeau poursuit au sujet de la *Première Défense du Peuple anglais* (1651, 1658) : « & quoique la plupart des principes qu'elle contient soient maintenant avoués & reconnus, il fallait, du temps de Milton, un génie bien extraordinaire pour les apercevoir & pour les développer comme il l'a fait. » (2-3) Quels sont donc ces principes que Milton l'avant-gardiste a énoncés avant le Siècle des Lumières ? Il s'agit de l'idée que le roi ou les

---

24. « Sur Milton et ses Ouvrages », in *Théorie de la royauté, d'après la doctrine de Milton* (1789) ; p. i-ii.

25. *Id.*, p. xiii. En fait, Milton préconise l'abolition de l'autorisation préalable : il ne condamne pas la censure post-publication, idée incompatible avec celle que l'on peut lire n'importe quel livre.

26. Sous-titre : *Traité où l'on fait voir qu'il n'y a rien dans l'Évangile, qui soit ou contraire à la raison ou au-dessus d'elle, et qu'aucun dogme chrétien ne se peut proprement appeler mystère.*

gouvernants sont mandatés par le peuple pour le bien commun, qu'ils peuvent être destitués, voire châtiés par le peuple s'ils enfreignent la loi. C'est un État de droit que revendique Milton : le roi n'est plus au-dessus de la loi, mais la loi lui est supérieure. Ces principes seront effectivement repris par John Locke (1632-1704) ; son *Traité du gouvernement civil. De sa véritable origine, de son étendue et de sa fin* (1690), connut un succès énorme au XVIIIe siècle, au point de devenir une sorte de « Bible politique » des Lumières ; elle inspira les fondateurs des États-Unis d'Amérique ainsi que les révolutionnaires français de la fin du XVIIIe.

« Les hommes se trouvant tous par nature libres, égaux et indépendants, on n'en peut faire sortir aucun de cet état ni le soumettre au pouvoir politique d'un autre, sans son propre consentement. La seule façon pour quelqu'un de se départir de sa liberté naturelle (...), c'est de s'entendre avec d'autres pour se rassembler (...). Et lorsqu'un certain nombre d'hommes ont consenti à former une communauté ou un gouvernement, ils deviennent, par là-même, indépendants et constituent un seul corps politique, où la majorité a le droit de régir et d'obliger les autres (...). Ainsi, ce qui donne naissance à une société politique n'est autre que le consentement par lequel un certain nombre d'hommes libres, prêts à accepter le principe majoritaire, acceptent de s'unir pour former un seul corps social. C'est cela seulement qui a pu ou pourrait donner naissance à un gouvernement légitime. »

Milton, dès lors qu'il avance que *la minorité vertueuse* républicaine doit se substituer à la majorité *dégénérée* pro-royaliste, a une conception différente de la démocratie, gouvernement du peuple défini comme des hommes libres : or l'homme libre n'est-il pas l'homme délivré de ses passions ?

En revanche, il s'accorde avec la suite :

« La liberté naturelle de l'homme consiste à ne reconnaître aucun pouvoir souverain sur la terre, [à] n'être point assujetti à la volonté de [personne]. » La liberté, dans la société civile, consiste à n'être soumis qu'au seul pouvoir législatif établi d'un commun accord dans l'État, mais aussi à ne reconnaître aucune autorité ni aucune loi en dehors de celle que crée le pouvoir législatif conformément à la mission qui lui est confiée (*trust*). (Id.) Il est clair, dès lors, que « la monarchie absolue, considérée par certains comme le seul gouvernement au monde, est en fait incompatible avec la société civile. » (…) « La grande fin que se proposent ceux qui entrent en société [est] de jouir de leurs propriétés, en sûreté et en repos. » Le meilleur moyen d'y parvenir est d'établir des lois : « par suite, la première et fondamentale loi positive des États est celle qui établit le pouvoir législatif. » (…) Et aucun édit, quelle que soit sa forme ou la puissance qui l'appuie, n'a la force obligatoire d'une loi, s'il n'est approuvé par le pouvoir législatif, choisi et désigné par le peuple[27].

Si Milton, en 1641, vantait les mérites d'une monarchie constitutionnelle avant l'heure puisque l'on considère qu'elle n'est effective qu'à partir de la révolution de 1688, l'analyse que fait Montesquieu de la liberté politique, objet direct de la Constitution anglaise (*L'Esprit des Lois* XI, vi ; XIX, xvii), rejoint la vision miltonienne. En revanche, il n'est guère possible d'affirmer que sa conception de la loi ou sa théorie des gouvernements dérivent de principes initiés par Milton dans sa doctrine de la royauté[28]. Montesquieu est plus pragmatique : il observe, dans ses *Lettres Persanes* (1721), qu'en Angleterre, « si un prince, bien loin de faire vivre ses sujets heureux, veut les accabler et les détruire, le fondement de l'obéissance cesse ; rien ne les lie, ne les attache à lui, et ils rentrent dans leur liberté naturelle. » Il attribue la résistance des Anglais à « leur humeur impatiente », à leur sentiment que « seul le lien de la gratitude peut lier les hommes » – non pas à une quelconque idéologie[29].

Voltaire, dans ses *Lettres philosophiques* (Amsterdam, 1734), revient sur son séjour forcé en Angleterre : « la nation anglaise est la seule de la terre qui soit parvenue à régler le pouvoir des rois en leur résistant, et qui, d'efforts en efforts, ait enfin établi ce gouvernement sage où le Prince, tout-puissant pour faire du bien, a les mains liées pour faire le mal, où les seigneurs sont grands sans insolence et sans vassaux, et où le peuple partage le gouvernement sans confusion. » Avant d'ajouter : « un homme, parce qu'il est noble ou parce qu'il est prêtre, n'est point (là-bas) exempté de certaines taxes[30]. » Voltaire attentait indirectement aux institutions de l'ancien régime. Le Parlement de Paris ordonne l'autodafé ainsi que l'arrestation du philosophe.

---

27. John Locke, *Traité du gouvernement civil*, Paris, Flammarion, 1984 ; 191, 279-80. Libre paraphrase ; citations.
28. Y compris la liberté : pour Montesquieu, elle consiste à faire tout ce que les lois permettent ; pour Milton, elle n'est rien d'autre que la vertu ou raison.
29. Éd. P. Vernière, Paris, Garnier, 1960 ; 215-16.
30. Paris, Garnier-Flammarion, 1964 ; *Huitième Lettre*, p. 55.

Diderot, dans son article sur l'« Autorité politique » dans *l'Encyclopédie* (1751), reprenant les principes de John Locke, se rapproche davantage de Milton. Le passage mérite d'être cité abondamment :

« Aucun homme n'a reçu de la nature le droit de commander aux autres. La liberté est un présent du Ciel, et chaque individu de la même espèce a le droit d'en jouir aussitôt qu'il jouit de la raison. Si la nature a établi quelque autorité, c'est la puissance paternelle : mais la puissance paternelle a ses bornes ; et dans l'état de nature, elle finirait aussitôt que les enfants seraient en état de se conduire. Toute autre autorité vient d'une autre origine que la nature. Qu'on examine bien et on la fera toujours remonter à l'une de ces deux sources : ou la force et la violence de celui qui s'en est emparé ; ou le consentement de ceux qui s'y sont soumis par un contrat fait ou supposé entre eux et celui à qui ils ont déféré l'autorité. »

Tandis que la première n'est qu'une usurpation « et ne dure qu'autant que la force de celui qui commande l'emporte sur celle de ceux qui obéissent, » la seconde, « qui vient du consentement des peuples, suppose nécessairement des conditions qui en rendent l'usage légitime, utile à la société, avantageux à la république, et qui la fixent et la restreignent entre des limites ; car l'homme ne doit ni ne peut se donner entièrement et sans réserve à un autre homme, parce qu'il a un maître supérieur au-dessus de tout, à qui seul il appartient tout entier. C'est Dieu, dont le pouvoir est toujours immédiat sur la créature, maître aussi jaloux qu'absolu, qui ne perd jamais ses droits et ne les communique point. Il permet pour le bien commun et pour le maintien de la société que les hommes établissent entre eux un ordre de subordination, qu'ils obéissent à l'un d'eux ; mais il veut que ce soit par raison et avec mesure, et non pas aveuglément et sans réserve, afin que la créature ne s'arroge pas les droits du Créateur. Toute autre soumission est le véritable crime d'idolâtrie.

(…)

Le prince tient de ses sujets mêmes l'autorité qu'il a sur eux ; et cette autorité est bornée par les lois de la nature et de l'État. [Celles-ci] sont les conditions sous lesquelles ils se sont soumis ou sont censés s'être soumis à son gouvernement. L'une [d'elles] est que, n'ayant de pouvoir et d'autorité sur eux que par leur choix et de leur consentement, il ne peut jamais [l']employer pour casser l'acte ou le contrat par lequel elle lui a été déférée : il agirait dès lors contre lui-même, puisque son autorité ne peut subsister que par le titre qui l'a établie. Qui annule l'un détruit l'autre. Le prince ne peut donc pas disposer de son pouvoir et de ses sujets sans le consentement de la nation, et indépendamment du choix marqué dans le contrat de soumission. S'il en usait autrement, tout serait nul, et les lois le relèveraient des promesses et des serments qu'il aurait pu faire, comme un mineur qui aurait agi sans connaissance de cause, puisqu'il aurait prétendu disposer de ce qu'il n'avait qu'en dépôt et avec clause de substitution, de la même manière que s'il l'avait eu en toute propriété et sans aucune condition.

D'ailleurs le gouvernement, quoique héréditaire dans une famille, et mis entre les mains d'un seul, n'est pas un bien particulier, mais un bien public, qui par conséquent ne peut jamais être enlevé au peuple, à qui seul il appartient essentiellement et en pleine propriété. Aussi est-ce toujours lui qui en fait le bail : il intervient toujours dans le contrat qui en adjuge l'exercice. Ce n'est pas l'État qui appartient au prince, c'est le prince qui appartient à l'État ; mais il appartient au prince de gouverner dans l'État, parce que l'État l'a choisi pour cela, qu'il s'est engagé vers les peuples à l'administration des affaires, et que ceux-ci de leur côté se sont engagés à lui obéir conformément aux lois.

(...)

En un mot, la couronne, le gouvernement, l'autorité publique sont des biens dont le corps de la nation est propriétaire, et dont les princes sont les usufruitiers, les ministres et les dépositaires.

(…)

Mais partout la nation est en droit de maintenir envers et contre tout le contrat qu'elle a fait ; aucune puissance ne peut le changer ; et quand il n'a plus lieu, elle rentre dans le droit et dans la pleine liberté d'en passer un nouveau avec qui et comme il lui plaît[31]. »

L'article fit scandale. Un arrêt du Conseil du roi du 7 février 1652 ordonne la suppression de l'Encyclopédie. Certes, pour arguer que « la vraie & légitime puissance a… nécessairement des bornes, » Diderot s'appuie sur le discours d'Henri IV devant l'Assemblée des notables (1596) : « *je vous ai fait assembler pour recevoir vos conseils, pour les croire, pour les suivre ; en un mot, pour me mettre en tutelle entre vos mains.* » Vu sous cet angle, il pouvait modérer ses affirmations radicales puisque les bornes

---

31. *Encyclopédie ou Dictionnaire raisonné des sciences, des arts et des métiers*, Éd. de Paris (1751), Tome I, 897-899.

ne seraient pas imposées par le peuple, mais elles dépendraient du bon vouloir du roi. Afin de faire passer ses allégations sur l'Autorité politique, bien
qu'en parfaite contradiction avec elles, il finissait son article en prêchant
la non-résistance : « Tant que la famille régnante subsistera par les mâles,
rien ne dispensera [les sujets français] de l'obéissance, » quand bien
même le roi serait « injuste, ambitieux et violent[32]. »

Cette théorie allait à l'encontre de la conception hobbesienne du
contrat : « la multitude… unie en une seule personne » – *la République*
(d'institution) – naît de l'acte par lequel les hommes, cédant le pouvoir
qu'ils possèdent dans l'état de nature, s'obligent mutuellement à se soumettre à une autorité. « Tout ce que fera ou jugera devoir être fait… leur
souverain, » « ils sont obligés, chacun à l'égard de chacun, de le reconnaître pour leur, et d'en être réputés les auteurs. » Aussi, les sujets ne
sauraient changer la forme de gouvernement ; ils ne peuvent en aucun
cas être libérés de leur sujétion puisque le souverain n'a pas contracté
avec les sujets, qu'en outre ses décisions sont présumées voulues par
ceux-ci. Le *transfert de droit* est absolu, irrévocable, chacun ayant abandonné le droit de se gouverner soi-même :

« Les sujets d'un monarque ne peuvent… pas, sans son aveu, rejeter
la monarchie et retourner à la confusion d'une multitude désunie ; ni transférer leur personnalité de celui qui en est le dépositaire à un autre homme
ou à une autre assemblée d'hommes[33]. »

Ouvrage de référence de la philosophie politique, *Du contrat social*
de Jean-Jacques Rousseau (1762), fonde une nouvelle légitimité repo-
sant sur la souveraineté du peuple par opposition à celle du monarque ou
du Tyran : « Tout gouvernement légitime est républicain. » – autrement
dit, fondé sur la loi, expression de la volonté générale. Jusqu'au XVIIe
siècle, la théorie contractuelle se limite au contrat de gouvernement que
passe un agrégat d'individus avec un roi ou des magistrats, à qui l'on
décerne la souveraineté. J.-J. Rousseau, à la suite de Milton, innove lorsqu'il énonce l'idée d'un double contrat : par un *pacte social*, l'individu
décide d'abandonner l'état de nature pour se constituer en corps social :

---

32. *Id.*
33. Hobbes, Thomas : *Léviathan*, éd. F. Tricaud, Paris, Sirey, 1971 ; 177, 179-91.
Curieusement, Milton ne fait aucune mention de T. Hobbes – ne serait-ce que pour
le contredire.

Cette « forme d'association… défend[] et protège de toute la force commune la personne et les biens de chaque associé, et par laquelle chacun s'unissant à tous n'obéi[t] pourtant qu'à lui-même et reste aussi libre qu'auparavant. »

Ce contrat premier est passé avec la communauté ; celle-ci devient « peuple », fiction dans laquelle les individus unissent leurs « volontés particulières » en une « volonté générale. » L'institution du gouvernement est seconde : « [elle] n'est point un contrat mais une loi,… les dépositaires de la puissance exécutrice ne sont point les maîtres du peuple mais ses officiers, il peut les établir ou les destituer quand il veut[34]. »

4. - La vie et l'œuvre de Milton, chantre de la liberté

« Assis ici-bas dans l'élément froid de la prose. »[35]

C'est à Londres, ville de quelque deux cent vingt mille habitants, que naît John Milton le 9 décembre 1608. Son père, lui aussi prénommé John, était franc-tenancier (*yeoman*) dans la région d'Oxford ; surpris dans sa chambre une bible à la main, il avait été déshérité par son père catholique, Richard. C'est alors qu'il partit faire fortune dans la capitale. Il devint *scrivener*, sorte de notaire, à l'occasion, agent de change. Au tournant du siècle, il épousait Sara Jeffrey, fille d'un négociant londonien, de qui il eut 3 enfants : Ann, John et Christopher. S'il ne destine pas son fils au commerce ni au droit mais à la prêtrise anglicane, il l'encourage dans les études littéraires : le jeune John allait recevoir une éducation, avec un précepteur, le puritain Thomas Young. C'est également à son père, musicien amateur, qu'il doit son goût pour la musique. En 1620, il fréquente l'école St Paul, fondée par l'humaniste John Colet ; en 1625, alors que la peste fait 35,000 morts à Londres, que Charles Ier succède à son père, Milton s'inscrit à l'Université de Cambridge pour y préparer sa Maîtrise-

---

34. Jean-Jacques Rousseau, *Du contrat social*, Paris, Garnier-Flammarion, 1966 ; 51, 139-40. Élaborée au XVIIe siècle, la théorie du double contrat se trouve chez Francisco Suarez, les jusnaturalistes Samuel Pufendorf et Hugo Grotius, et bien sûr, chez Thomas Hobbes.
35. *Principe du Gouvernement de l'Église* (1 : 808).

es-Lettres, qu'il obtient *cum laude* en 1632. Il a déjà l'âme d'un rebelle : ses premiers écrits prouvent qu'il n'apprécie pas l'institution universitaire parce qu'elle n'a pas su renoncer à l'héritage médiéval, d'où la survivance des questions abstruses de la philosophie scolastique[36].

En revanche, il n'a que des éloges à faire au savoir (Cf. *Prolusion 7*), synonyme de vertu. Alliant ainsi la rigueur puritaine à l'enthousiasme humaniste, Milton ne pouvait que devenir un homme de contradictions.

1637 est une année de transition pour Milton : en effet, le 3 avril, il perd sa mère. Le 23 septembre, dans une lettre à son ami Carlo Diodati, il envisage son avenir avec enthousiasme : « par le travail et une diligence dans l'étude (et je pense que c'est mon lot en cette vie), conjugués à une forte inclination naturelle, je pourrais peut-être laisser quelque chose d'écrit à la postérité qu'elle ne laissera pas facilement mourir[37] ; » son rêve d'immortalité devait se concrétiser par l'écriture d'une épopée nationale – le *Paradis Perdu* (1667, 1674).

En 1638, John Milton complète son éducation par un Grand Tour européen. Accompagné d'un serviteur, il part pour l'Italie, berceau de la civilisation occidentale moderne ; il fait halte à Paris, où il rencontre Grotius, juriste hollandais auteur d'un code de droit public international. À Florence, il rend visite à Galilée, prisonnier de l'Inquisition. Arrivé à Naples, il se proposait d'aller en Sicile, avant de finir son périple par la Grèce, lorsqu'il apprend que l'Angleterre est en guerre avec l'Écosse[38]. « Trouvant indigne de voyager à l'étranger pour [s]on plaisir alors que, dans [s]on pays, [s]es compatriotes luttaient pour la liberté », écrit-il *a posteriori* dans un passage autobiographique,[39] Milton décide de rentrer. Il revient par Genève, où il est accueilli par Giovanni Diodati, rejoint Paris, avant de débarquer sur le sol anglais. Le voyage aura duré 15 mois.

Alors qu'il va se lancer dans la littérature polémique, Milton a déjà écrit de nombreux morceaux, poèmes ou pièces dramatiques. On retiendra notamment *Comus,* comédie-masque sur la chasteté, qu'il fait jouer au Château de Ludlow le 29 septembre 1634 ; *Lycidas* (1637), élégie pas-

---

36. Voir *Exercice académique n°3* 1 : 240-48.
37. *Principe du Gouvernement de l'Église,* 1 : 823.
38. C'est une guerre civile dans la mesure où Charles Ier, roi d'Angleterre, est aussi roi d'Ecosse.
39. *Seconde Défense du Peuple anglais* 4 : 619.

torale dans laquelle il dénonce la corruption des membres du clergé, qu'il qualifie de « sinistres Loups » ou de « bouches aveugles[40]. » Milton écrit d'autres morceaux comme son *Ode à la Nativité du Christ*, où il célèbre de manière orthodoxe le mystère de l'Incarnation ; dans les deux poèmes *L'Allegro – Il Penseroso*, Milton chante, à l'image de son personnage, deux humeurs contradictoires : la joie, la mélancolie ; d'autres morceaux, en latin, en anglais ou en italien, ne sont que des exercices littéraires. Le message politique, son anticatholicisme, s'exprime pour la première fois dans *In Quintum Novembris* (1626), poème faisant référence à la conspiration des poudres (5 novembre 1605), où le catholique, Guy Fawkes, avait ourdi de faire sauter le Parlement.

Ces œuvres manifestent la double nature de Milton : d'un côté, l'artiste sensuel issu de la Renaissance ; de l'autre, le poète militant. La sensibilité miltonienne, son orgueil (le sens d'appartenir à l'élite du savoir, d'avoir *mérité* un sort hors du commun) le poussaient à ambitionner quelque chose de plus grand :

« appartenant à la société des lettrés, bien que j'en sois le plus humble membre, je m'assiérai au beau milieu du lierre et des lauriers du vainqueur, et ne me mêlerai plus obscurément à la foule stupide ; mes pas éviteront le regard des yeux profanes. » (*À mon père* 100-104).

Les îles Britanniques, d'abord avec le roi Jacques (Jacques Ier d'Angleterre - Pays de Galles - Jacques VI d'Écosse (1603-25)), ensuite avec son fils, Charles Ier, étaient restées à l'écart des guerres de religion alors que celles-ci déchiraient l'Europe continentale, la Contre-Réforme catholique voulant signer la mort de son adversaire protestant. Selon un historien néo-zélandais, Jonathan Scott, *le contexte européen explique l'instabilité politique anglaise du XVIIe siècle*[41] : la Couronne d'Angleterre, affaiblie militairement, n'a pas voulu prendre part à la guerre de Trente Ans (1618-48), laissant périr des milliers de protestants. La menace de la Contre-Réforme, qu'elle vienne de la France de Louis XIV ou de l'Espagne, était bien réelle. Lorsque William Laud, archevêque de Cantorbéry, veut imposer la liturgie anglicane sur l'Église écossaise, la menace se précise.

---

40. vv. 128, 119.
41. Jonathan Scott, *England's Troubles*, Cambridge, CUP, 2000.

Cette fois, il s'avère que l'ennemi est à l'intérieur… La révolte éclate : s'ensuivent les deux « guerres des évêques, » lesquelles devaient précipiter le pays dans la guerre.

C'est par patriotisme que Milton rentre en Angleterre en juillet 1640, mais il ne se lance pas immédiatement dans l'arène politique : il brosse le plan d'une tragédie, *Adam hors du Paradis* (1640). Il n'a ni les moyens ni l'envie de se lancer dans la guerre des mots : « Je n'aurais pas choisi cette manière d'écrire (la prose), m'y sachant inférieur à moi-même, incliné par ma nature vers d'autres tâches, et ne me servant, pour ainsi dire, que de ma main gauche, » clame-t-il en 1642[42]. Milton a l'impression de sacrifier son génie en devenir à la controverse. Ce n'est qu'en mai 1641 qu'il s'embarque « sur une mer agitée de clameurs et d'âpres querelles » avec son premier pamphlet anti-épiscopal, *De la Réforme de l'Église d'Angleterre, et des Causes qui jusqu'ici l'ont empêchée* : Milton règle ses comptes à l'épiscopalisme, d'abord, parce qu'il s'estime bouté hors de l'Église par les Prélats,[43] ensuite, parce qu'il adhère pleinement à la revendication populaire : l'opinion publique, en effet, dans la *Pétition des racines jusqu'aux branches* (11 décembre 1640), avait exigé l'abolition de l'épiscopat. S'ensuivent quatre écrits, parmi lesquels *Le Principe du Gouvernement de l'Église* (1642), où il adhère à un presbytérianisme modéré : à la base, il y aurait des conseils paroissiaux, composés d'*anciens* (*elders*), élus par l'ensemble des fidèles pour administrer les affaires de la communauté, assistés de *diacres* ; au sommet, l'assemblée générale[44].

Tout cela se passe sur fond de crise politique grave : au lendemain de la *Grande Remontrance*, le 4 janvier 1642, le roi fait intrusion dans la Chambre des communes pour arrêter les leaders de l'opposition. Tentative aussi vaine que maladroite. Charles Ier doit s'enfuir, pour lever son étendard le 22 août à Nottingham ; le 22 septembre, le système épiscopal est suspendu. Le pouvoir civil avait eu raison des prélats. Soulagé, Milton aussi pouvait tourner la page, pour envisager des réformes dans d'autres domaines.

---

42. *Principe du Gouvernement de l'Église* 1 : 808.
43. *Id.*, 1 : 821, 823.
44. Milton élimine la hiérarchie des assemblées intermédiaires - le *classis* (réunion de plusieurs *congrégations*), avec, à un échelon supérieur, le synode régional — pour n'en garder que deux.

La guerre civile arrive à un moment clé dans la vie personnelle de Milton. À 34 ans, il est encore célibataire. C'est alors qu'il se rend à Forest Hill, dans la région d'Oxford, en mai 1642, pour s'enquérir de la dette d'un squire royaliste du nom de Richard Powell. Il revient avec, à son bras, une jeune femme de 17 ans pleine de vie, Mary. Un mois plus tard, son épouse abandonne le domicile conjugal pour retourner chez ses parents. L'amour propre de Milton le pousse à réagir promptement : le 1er août 1643 paraît *La Doctrine & la Discipline du Divorce*, bientôt suivie d'une seconde édition largement augmentée. (2 février 1644) Une autorité protestante en la personne du réformateur strasbourgeois Martin Bucer venait opportunément renforcer les allégations miltoniennes : *Le Jugement de Martin Bucer concernant le Divorce* (15 juillet 1644). Le 4 mars 1645, deux nouveaux pamphlets publiés à la suite, l'un fait d'un argumentaire serré, *Tetrachordon*, l'autre de pure invective, *Colasterion*, clôturaient la seconde phase des écrits miltoniens sur le divorce. Milton, par l'exégèse de divers passages scripturaires, mais aussi par la loi de nature, justifiait le divorce pour incompatibilité d'humeur ; si le mariage faillit à ce pour quoi il a été institué (*Gn* 2, 18 : remède à la solitude de l'homme), il est nul ; dès lors, les deux parties sont autorisées à se remarier.

Milton étant précepteur, il était logique qu'il écrive une lettre *Sur l'Éducation* (1644), d'autant plus que le réformateur Samuel Hartlib l'avait sollicité : à l'instar de Platon, il faisait de l'éducation l'apprentissage de la vertu.

Comme des presbytériens avaient essayé de faire censurer *DDD 1*, Milton jugea opportun de défendre la liberté de la presse. Il le fit brillamment dans son *Areopagitica* (23 novembre 1644), alors que le Long Parlement avait restauré, le 14 juin 1643, la censure abolie de fait en 1641. Ce manifeste, partiellement traduit par Mirabeau en 1788, est repris dans les pages suivantes. Là encore, il s'agit d'une libération : il faut enlever les fers au savoir. (2 : 539) Milton en profite pour demander la tolérance religieuse pour les sectes dissidentes (hors catholicisme) ; il divorce des Presbytériens :

« Le *nouveau Presbytre* n'est que l'*Ancien Prêtre* écrit en grosses lettres[45]. »

Ces tâches accessoires occupent Milton alors que le pays est déchiré par la guerre. La situation militaire ne se débloque que lorsque les Têtes

---

45. *On the new forcers of Conscience under the Long PARLIAMENT*, v. 20.

rondes, prises en tenaille par les Cavaliers, remportent la bataille décisive de Naseby (14 juin 1645). Le 20 juin 1646, les royalistes signent leur capitulation à Oxford, où le roi avait installé son quartier général.

Milton se réfugie dans le silence, de 1645 à 1649, pour ne reprendre sa plume de polémiste qu'au lendemain du procès de Charles Stuart. Sans doute se consacre-t-il à la vie familiale : Mary, de retour, lui donne deux enfants : Ann (29 juillet 1646), Mary (25 octobre 1648). Milton est-il attentiste devant une situation politique dans l'impasse ? Va-t-il se rallier à l'avis des Indépendants, majoritaires dans l'Armée, mais minoritaires à la Chambre des Communes ? Si les Presbytériens sont prêts à accepter un compromis avec le roi, les Indépendants, par la voix notamment d'Oliver Cromwell, député de Cambridge, y sont de plus en plus opposés, mais ils n'envisagent pas les conséquences dramatiques qu'un refus impliquerait. Sommée de se disperser (8 mars 1647), l'Armée se méfie du Parlement : un document, *la Représentation de l'Armée*, publié le 14 juin 1647, la présente à la nation comme garant de sa liberté. Cependant, elle aussi se divise avec, d'un côté, les officiers supérieurs, favorables au *status quo*, de l'autre, les simples soldats, appuyés par les *Levellers*, partisans de la démocratie : un Conseil général, élargi pour inclure deux niveleurs, se réunit en l'église de Putney. (Kingston, 28 octobre - 01 novembre 1647) L'*Accord du Peuple*, document constitutionnel, décliné en plusieurs versions, sera au cœur des débats[46].

Le roi veut profiter des divisions : d'Oxford à Édimbourg, Charles Ier, restitué au Parlement d'Angleterre en échange du versement d'une lourde indemnité, avait été installé à Holdenby House, dans le Northamptonshire. Enlevé par le Cornette Joyce (2 juin 1647), il reste au QG de l'Armée à Newmarket jusqu'à son transfert à Hampton Court (août 1647), d'où il s'enfuit pour la France, mais échoue sur l'île de Wight (11 novembre 1647). Il négocie avec les parties opposées : le Parlement, l'Armée, l'Écosse. Ses manœuvres avec la noblesse écossaise réunie autour de Lord Hamilton aboutissent sur un accord secret (26 décembre 1647) : le roi s'engageait, en échange de sa restauration, à introduire le presbytérianisme pour 3 ans en Angleterre.

La seconde guerre civile s'ouvre avec l'invasion de l'armée écossaise, que Cromwell défait à Preston (17-19 août 1648) ; elle s'achève

---

46. Woodhouse, Arthur Sutherland Pigott. : *Puritanism and Liberty*, Dent, London, 1938 ; réed. 1992, préface de Ivan Roots ; 1-124.

sur la victoire de Thomas Fairfax lors du siège de Colchester (28 août 1648), que Milton devait célébrer dans un sonnet.

Tout compromis avec le roi s'avère impossible. Les camps se déchirent. Les Niveleurs s'isolent : ils stigmatisent l'incompétence du Parlement autant que l'ambition de l'Armée ; celle-ci fait un pas décisif lorsqu'elle demande, le 16 novembre 1648, que l'on inflige « le châtiment capital pour l'auteur principal (…) de nos dernières guerres[47] » : le roi sera traduit en justice. Au Parlement, les Indépendants[48] durcissent leur position face au conservatisme presbytérien. Le 5 décembre, la Chambre basse vote majoritairement son accord aux conditions présentées par Charles, par le Traité de Newport. Le lendemain, le Colonel Thomas Pride arrête cent dix parlementaires accusés de sympathies royalistes. Le 4 janvier 1649, le Parlement Croupion déclare que le peuple constitue l'unique source du pouvoir politique, qu'il a confié à la seule Chambre des Communes ; le roi est radicalement effacé du schéma constitutionnel, les Lords aussi disparaissent. Et l'Armée s'affirme avec la nomination d'une Haute Cour de Justice.

Tout au long de son procès, du 20 au 28 janvier 1649, Charles Ier refuse obstinément de reconnaître l'autorité de ses juges. Mis en accusation pour les « guerres contre nature, cruelles et sanglantes » de 1642-48, le roi aurait, de surcroît, eu la prétention, « par un dessein pervers, d'ériger et de maintenir en sa personne un pouvoir illimité et tyrannique consistant à régner selon son bon vouloir, et de renverser les droits et les libertés du peuple[49]. » Reconnu « coupable d'avoir livré, continué et soutenu la guerre au Parlement et au peuple, » il est défini, lors de l'énoncé du verdict, le 29 janvier, comme « tyran, traître, meurtrier et ennemi public du bon peuple de cette nation[50]. » Condamné à mort, il est publiquement décapité sur un échafaud construit devant la salle de banquet du Palais de Whitehall (30 janvier 1649).

---

47. A. S. P. Woodhouse, *op. cit.*, 456-65, 462 *.
48. Les *Indépendants* : partisans d'une organisation ecclésiale dans laquelle les congrégations locales jouiraient d'une autonomie propre ; opposés aux *presbytériens* : partisans d'une Église calviniste monolithique.
49. « The Charge against the King », in S. R. Gardiner, *The Constitutional Documents of the English Revolution 1625-60*, 3rd ed., Oxford, Clarendon, 1968, 371-74.
50. « The Sentence of the High Court of Justice upon the King », in S. R. Gardiner, *op. cit.*, 377-80.

Ces circonstances dramatiques dans l'histoire de l'Angleterre, Milton les lit dans l'histoire d'Israël : les Psaumes 80-88, qu'il traduit de l'hébreu vers l'anglais, se plaignent d'un pays ravagé par ses ennemis, de la morgue humaine, de la non-intervention divine ; Milton prie Dieu pour qu'Il répande à nouveau sa grâce, sa lumière, sur l'Angleterre, qu'Il la délivre. En fait, d'une crainte qu'il exprime sur le destin de la nation, « terre ténébreuse », Milton en vient à évoquer « [son] triste déclin » ; il s'en remet à la justice de Dieu parce qu'il redoute d'être plongé dans l'obscurité, de devenir aveugle[51].

Milton écrit son *Histoire de la Grande-Bretagne* de la conquête par Jules César en 55 av. J.-C. à l'arrivée de Guillaume en 1066 ; dans une digression, *Le Caractère du Long Parlement*, jamais publiée de son vivant, il fustige l'immobilisme parlementaire. Aurait-il souhaité que l'assemblée suprême du royaume abonde dans le sens de l'Armée ? Que l'on parvienne à un compromis satisfaisant avec Charles Ier ? On décèle le conservatisme politique miltonien dans son premier pamphlet, *De la Réforme* (1641), où il prône les vertus de la Constitution mixte anglaise :

« Il n'y a aucun gouvernement civil… accordé avec une plus divine harmonie,… plus également équilibré… que ne l'est la république d'Angleterre, où, sous un monarque libre et sans guide, les plus nobles, les plus dignes, et les plus prudents, avec pleine approbation et suffrage du peuple, ont en leur pouvoir la détermination suprême et finale des plus hautes affaires. » (1 : 599)

Ensuite, le prosateur ne prend le parti du Parlement que dans la mesure où celui-ci use de son droit naturel d'auto-défense (1644) :

« Dieu ne nous a jamais autorisés expressément à résister au plus haut Magistrat, quoique celui-ci fût tyrannique. » [*DDD* (2e éd.) 2 : 229]

À l'époque, il s'agit d'amener le roi à composer avec son Parlement – non de l'écarter du pouvoir. Tout le monde, y compris Oliver Cromwell, s'accommoderait bien d'une monarchie limitée ; la rupture ne vient qu'au vote des *No More Addresses* (30 janvier 1648). À partir de là, les Indépendants, que l'on voit surtout dans les rangs des officiers supérieurs, se distinguent nettement des Presbytériens. Et Milton d'épouser leur cause. Son élitisme, en effet, ne pouvait que le conduire à avoir du mépris

51. *Ps* 88, in W. R. Parker, *Milton : A Biography*, 2nd ed., Oxford, Clarendon Press, 1996 ; 324.

pour l'égalitarisme démocratique répandu parmi les simples soldats. Les Presbytériens ayant finalement pris le parti du roi au nom du respect du *Solemn League and Covenant* de 1643, Milton fait son entrée dans l'arène politique pour régler ses comptes à l'hypocrisie presbytérienne. Écoutons-le :

« Lorsque des ministres presbytériens, hier les plus farouches ennemis de Charles, » écrit-il, aujourd'hui jaloux de l'ascendance des Indépendants au Parlement, « s'obstinèrent à condamner le décret que [celui-ci] avait prononcé à l'encontre du roi (…), qu'ils firent leur possible pour susciter un tumulte, osant jusqu'à prétendre que la doctrine des Protestants… reculait avec horreur devant l'atrocité d'une telle sentence (…) – alors je résolus que je devais réfuter un mensonge aussi flagrant[52]. »

C'est la mission qu'il s'assigne dans *Le Mandat des Rois et des Magistrats, prouvant qu'il est légitime pour quiconque a le pouvoir de demander des comptes à un Tyran ou mauvais Roi, si le Magistrat ordinaire n'a pas voulu ou a négligé de le faire.* (13 février 1649 ; 3 : 188) – en particulier dans la seconde édition (1650) : le roi règne en vertu d'un mandat confié par le peuple ; lorsqu'il dégénère en Tyran, il devient justiciable.

Le 15 mars 1649 est un date importante : Milton est nommé Secrétaire des Affaires étrangères du *Commonwealth* (Latin Secretary) d'un régime « sans Roi, ni chambre des Lords[53], » gouverné par un Conseil d'État de 40 membres ; le législatif restant aux mains du *Rump Parliament*. Milton devait se charger de la correspondance officielle de la république d'Angleterre avec l'Europe.

À la publication d'un livre prétendument écrit par le roi dans sa prison, *Eikon Basilike*, « l'Image du Roi », rédigé en fait par son chapelain, John Gauden, Milton se voit commissionné par l'Exécutif de répliquer : avec *Eikonoklastes* (6 octobre 1649), « le briseur d'images, » il fait voler en éclats la représentation dévastatrice du souverain, par une mise à plat des méfaits de son règne.

On invite un huguenot, Claude de Saumaise, renommé pour son éru-

---

52. *Seconde Défense du Peuple anglais* (1654 ; 4 : 626).
53. « An Act declaring England to be a Commonwealth and Free State, » in S.R. Gardiner, *op. cit.*, 388.

dition, à écrire une défense royaliste pour discréditer le nouveau régime. Dans *Defensio Regia* (1649), Salmasius mêle des références scripturaires à des réflexions historiques sur les Temps anciens comme sur l'histoire moderne, ainsi que des notions juridiques propres à l'Angleterre, pour s'enquérir des droits royaux. L'ouvrage, savamment distillé, apparaît comme irréfutable. Là encore, Milton sera sollicité pour la besogne. À « la défense des rois », Milton oppose « la défense du peuple anglais » (*Pro Populo Anglicano Defensio* (24 février 1651)), où il pose le droit naturel des peuples à choisir leur propre forme de gouvernement. Cet ouvrage, écrit en latin pour qu'il soit lu par l'Europe entière, sera partiellement traduit par Mirabeau et/ou Salaville en 1789 : il est reproduit dans les pages suivantes.

Les royalistes ne se découragent pas : un livre intitulé *Cri du Sang royal, Contre les Parricides anglais* sort des presses de La Hague en 1652. Il est l'œuvre de Pierre du Moulin II[54]. Complètement aveugle, Milton sait puiser les ressources nécessaires pour lancer une *Seconde Défense du Peuple anglais* (30 mai 1654). Il s'agit davantage d'une défense de sa propre carrière que de la suite de *1 Def*.

Enfin, Milton écrit *Défense de soi-même*, (8 août 1655) où il injurie ses adversaires, notamment Alexandre More, qu'il a pris pour l'auteur du *Cri du Sang Royal*.

Les années 1649-55 furent fertiles en bouleversements politiques, de l'assassinat légal du roi Charles 1er à l'avènement de la république cromwellienne. Milton avait également été sensible au problème irlandais avec *Observations sur les Articles de Paix* (16 mai 1649) ; Cromwell vient à bout des rebelles en perpétrant plusieurs massacres : celui de Drogheda (10 septembre 1649) est resté dans les mémoires. Plusieurs succès militaires – Dunbar (1650), Worcester un an plus tard – ouvrent la pacification de l'Écosse. Ces victoires dans les îles Britanniques l'autorisent à constituer « la République d'Angleterre, d'Écosse et d'Irlande[55]. » Le 20 avril 1653, devant le mécontentement de l'Armée impatiente de réformes, Cromwell chasse le Parlement Croupion. Il proclame « l'Instrument de Gouvernement, » (16 décembre 1653) première constitution écrite en G.-B., en vertu de laquelle il est fait Lord-Protecteur. Un de ses Parlements l'invite, le 25 mars 1657, à prendre la Couronne, offre qu'il ne décline que

---

54. Théologien anglican (1601-84).
55. « The Instrument of Government », *in* S. R. Gardiner, *op. cit.*, 405-417.

le 8 mai suivant. En revanche, il rétablit la Chambre haute, *The Other House*, le 10 janvier 1658, un mois avant la dissolution de la Chambre basse (4 février 1658).

Alors que la clameur grandit, Oliver Cromwell meurt le 3 septembre 1658. Son fils Richard lui succède. Comme pour assurer la continuité historique, le 7 mai 1659, les Anglais rétablissent le *Rump Parliament*, que le dictateur de salut public avait dissout en 1653. Richard doit abdiquer. À nouveau dissout, une nouvelle fois restauré, le Parlement Croupion doit décider de l'avenir du pays. Avec l'Armée… Le général George Monck brise l'impasse politique pour avoir raison de l'instabilité institutionnelle : il marche sur Londres. Les parlementaires royalistes exclus par la purge du 6 décembre 1648 peuvent regagner leurs sièges (21 février 1660). On organise les élections pour une Convention, laquelle se réunit le 25 avril 1660 : le retour de la monarchie est assuré.

Morte en 1652, Mary avait laissé à Milton 3 filles : Mary, Ann, Déborah. Son fils John n'avait vécu qu'une année. Complètement aveugle, Milton reconstruit sa vie familiale en 1656, en épousant Katherine Woodcock ; celle-ci meurt au bout de deux ans de mariage, quelques semaines avant la mort de sa fille, Katherine.

Au malheur personnel s'ajoute le malheur collectif. Après le massacre des Vaudois dans le Piedmont (1655), que Milton stigmatise dans un poème des plus émouvants, Milton garde le silence jusqu'en 1659, date à laquelle la république agonise. Il lance encore deux pamphlets religieux : Un *Traité du Pouvoir civil dans les Causes ecclésiastiques* (16 février 1659) où il se prononce pour la séparation de Église - État, ainsi que pour la liberté du culte à l'exception notoire des Catholiques. En août, il publie *Considérations sur les Moyens les plus propres à chasser les Mercenaires de l'Église*, brochure dans laquelle il préconise un système congrégationaliste, avec des églises autogérées, où les pasteurs ne recevraient plus la dîme.

Alors que la restauration de Charles II semble inévitable, Milton prend d'énormes risques avec la publication de sa *Lettre à un Ami, concernant les Ruptures de la République* (20 octobre 1659), où il expose une solution *ad hoc*, avec l'institution d'« un sénat ou Conseil d'État général », composé d'élus favorables à une pleine liberté de conscience pour les Protestants ; en

41

outre, ils devront avoir renoncé solennellement au gouvernement d'une seule personne (8 : 329-31). Il continue avec ses *Propositions de certains Expédients pour empêcher une Guerre civile aujourd'hui redoutée, et établir un Gouvernement solide* (20 octobre - 26 décembre 1659). Une œuvre majeure, en deux éditions, *La Manière prompte et facile d'établir une libre République* (23-29 février 1660, 01-10 avril 1660), vient confirmer son opposition radicale au retour de la monarchie en Angleterre :

« le régime monarchique en lui-même peut convenir à certaines nations, mais pour nous qui l'avons rejeté, le reprendre ne peut que s'avérer pernicieux[56]. »

À nouveau échafaudé dans l'urgence dans *les Moyens actuels et une brève Description d'une libre République* (23 février - 4 mars), son projet écartait aussi bien le gouvernement d'un seul, c'est-à-dire d'un roi, que le gouvernement du peuple dans quelque assemblée populaire. Ses *Notes brèves sur un Sermon* récent (10-15 avril), celui de Matthew Griffith sur *Pr* 24, 21, restèrent sans écho. Le 4 mai, la Déclaration de Breda venait chanter la mort des espoirs miltoniens.

Le polémiste risquait la peine capitale. Mars 1659 : il se cache chez l'une de ses connaissances, à Bartholomew Close, « où il vécut jusqu'au vote de la Loi d'Amnistie [11 juillet 1660][57]. » Le 8 mai 1660, Charles II est officiellement proclamé roi. Le 16 juin, le Parlement prend la résolution que Milton soit « immédiatement mis en état d'arrestation par l'huissier d'armes » de ladite Chambre. Le 27, le bourreau de Londres fait un autodafé d'*Eikonoklastes*, ainsi que de *Pro populo anglicano defensio* ; il est intéressant de voir que l'on ne brûle pas la *Tenure des Rois & des Magistrats*. Bien que Milton ne figure pas sur la liste des vingt personnes non-régicides désignées pour un châtiment *n'allant pas jusqu'à la mort,* le 13 août, une proclamation royale déplore « qu'il ait… pris la fuite ou qu'il se soit si bien caché que l'on n'ait pu réussir à l'appréhender pour le juger en *un procès légal* afin qu'il y reçoive le châtiment qu'il mérite pour ses trahisons et ses crimes[58]. » Enfin, le 29, Charles II ratifie l'Acte d'Amnistie.

---

56. 7 : 377-78 ; 449.
57. Helen Darbishire (éd.), *The Early Lives of Milton* (London, Constable & Co., 1932) ; 74-75.
58. Adaptation d'un paragraphe où John Goodwin est pour l'occasion associé à John Milton. Voir Masson, David : *The Life of John Milton*, 7 vol., Macmillan & Co., Cambridge, London, 1859-94 ; VI, 31-35.

Milton ne figure pas parmi les exceptions. *Ouf!* Trente-deux personnes avaient été condamnées à mort. Arrêté « probablement en novembre, » Milton sera libéré de prison le 15 décembre 1659 sur ordre du Parlement : il écopait seulement d'une amende de 150 livres.

On ignore pour quelle raison ou grâce à quelle personnalité Milton a échappé au sinistre sort réservé aux adversaires radicaux de Charles Ier.

Sa vie continue : il épouse Elizabeth Minshull en 1663. Il s'installe à Chalfont St Giles, dans le Buckinghamshire,[59] afin de fuir la peste bubonique. En 1666, le Grand Incendie de Londres détruit sa maison de Bread Street. Milton s'attelle à son œuvre monumentale, *le Paradis perdu*, publié en 1667 ; une seconde édition, en douze livres, voit le jour en 1674. « Tout le sujet » réside en « la désobéissance de l'homme, et d'après cela la perte du Paradis où il était placé. » Milton précise qu'« en [son] thème sublime, / [Il] revendique l'éternelle providence / Et justifie les voies de Dieu devant les hommes[60]. » Il est à noter que Milton a négocié avec son éditeur, Samuel Simmons, le premier contrat d'édition que l'on ait réussi à préserver.

À court d'argent, il publie successivement une grammaire latine, *Accedence Commenc'd Grammar* (1669), son livre *The History of Britain* op. cit. (1670), ainsi que deux poèmes dans un seul volume en 1671 : *le Paradis reconquis*, avec pour héros le Christ triomphant de la tentation dans le désert, chante la régénération de l'homme, traduit l'espérance de Milton dans la victoire de la raison sur la passion, tandis que *Samson le Lutteur*, en portant l'interrogation sur le sens de la justice divine, transpose son sentiment personnel de l'échec à la nation anglaise, à la vie de l'homme en général, pour le muer en un formidable espoir de revanche comme Samson dans l'histoire biblique.

S'ensuivent *l'Art de la Logique* (1672), œuvre reproduisant les thèses de Pierre de la Ramée, *Poèmes 1673*, ainsi que ses lettres (*Epistolae Familiares*), des exercices académiques ou *Prolusiones* (1673) ; son dernier tract, *De la vraie Religion, de l'Hérésie et du Schisme*, paraît au moment du passage du *Test Act*, disposition réservant les charges publiques aux seuls Anglicans ; Milton s'y efforce d'éveiller le sentiment unitaire protestant par une vigoureuse condamnation du catholicisme.

---

59. C'est aujourd'hui un musée : « Milton's Cottage. »
60. *Le Paradis Perdu*, nouvellement traduit par Armand Himy, Paris, Imprimerie nationale, 2001.

Il publie une bien curieuse traduction, *Déclaration, ou Lettres patentes de l'Élection de Jean III, actuel Roi de Pologne* (1674), document officiel de l'investiture de Jan Sobieski, général en chef de l'Armée polonaise, à Varsovie le 22 mai précédent. Enfin, insatisfait des ouvrages géographiques, à son goût insuffisamment prolixes dans la relation « des Mœurs, de la Religion, des Institutions, etc. » [du pays étudié], Milton en écrivit un pour donner l'exemple : *Une brève Histoire de la Moscovie*, composé en 1649-52, en même temps que son ouvrage historique, ne sera publié qu'en 1682.

John Milton meurt à 66 ans, le 8 novembre 1674, d'une attaque de goutte. Il est enterré dans le cimetière de St Giles (Cripplegate). Il a vécu pendant l'une des périodes les plus fascinantes de l'histoire de la Grande-Bretagne.

Il aurait composé, dans les années 1658-60, un Traité de Théologie de 735 pages intitulé *De la doctrine chrétienne*, qu'il décrit comme « ce qu['il a] de meilleur et de plus précieux[61]. » C'est une profession de foi : « Dieu n'a révélé la voie du salut éternel qu'à la foi individuelle de chaque homme, exigeant que quiconque désire être sauvé élabore ses propres croyances par lui-même » (6 : 118). Le manuscrit, découvert à Whitehall au XIXe siècle, renferme plusieurs hérésies comme l'anti-Trinitarisme, l'arminianisme, le matérialisme, le mortalisme, la polygamie, le divorce... On en retire aujourd'hui la paternité à Milton. Motif : si l'on veut ériger Milton en poète universel, avec *Le Paradis perdu*, il faut l'éloigner des puritains. Le professeur William Bridges Hunter pouvait affirmer, avec quelque soulagement, qu'« il [Milton] n'est plus associé à une minorité marginale foncièrement excentrique[62]. »

5. L'Areopagitica (1644) - Sur la liberté de la presse (1788)

Mirabeau a pu se servir de *A complete collection of the historical political and miscellaneous works of John Milton, both English and Latin with som[e] papers never before publish'd: in three volumes: to which is prefix'd the life of the author, containing besides the history of his works,*

---

61. *Traité de la doctrine chrétienne* 4 : 121.
62. « Forum », *Studies in English Literature 1500-1900*, 32 (1992) : 143-66. C'est nier l'évidence fournie par les premiers biographes de Milton. Voir Helen Darbishire, *op. cit.*, 9-10, 29, 61.

several extraordinary characters of men and books, sects, parties, and opinions. Edited by John Toland, Amsterdam, 1798 ; vol. 1 423-443.

La collation ayant déjà été faite, il convient de se reporter au bel ouvrage de Marie-Madeleine Martinet, *John Milton : Écrits politiques* (Paris, Belin, 1993 : pp. 65-127)[63].

L'argumentaire se divise en 4 parties :

– Que l'imprimatur est l'œuvre de l'Antichrist (l'Église de Rome) ;
– Que la lecture de n'importe quel livre est bénéfique ;
– Que la censure est vaine ;
– Que la censure est dangereuse.

En fait, le discours sur la liberté de la presse déborde son cadre pour se développer en un véritable plaidoyer pour les Sectes protestantes dissidentes, lesquelles doivent paradoxalement leur existence à la censure :

« Comme si, le Temple du Seigneur étant en construction, les uns taillant, d'autres carrant le marbre, certains équarrissant le cèdre, il fallait voir un groupe d'êtres dépourvus de raison inaptes à saisir la nécessité de fendre et de débiter sans cesse la pierre brute et le bois d'œuvre, avant de pouvoir édifier la maison de Dieu. D'ailleurs les pierres, une fois industrieusement placées, ne peuvent être fondues mais seulement contiguës ici-bas ; les éléments de l'édifice ne sauraient non plus être de forme unique ; la perfection consiste plutôt en ceci : de maintes diversités raisonnables ou dissemblances fraternelles sans écart exagéré surgit la belle et gracieuse symétrie qui met en valeur l'ensemble de l'édifice et de la construction. » (*Areopagitica* 2 : 555)

6. *Pro populo anglicano defensio* (1651)
A Defence of the People of England (1695)
Jugement et Condamnation de Charles Ier (1792)

Il est vraisemblable que Mirabeau utilise la version anglaise de John Toland de 1695 telle que reproduite dans *A complete collection of the historical political and miscellaneous works of John Milton* ; vol. 2, 557-656.[64]

---

63. Le texte s'arrête brusquement p. 127 ; pour la fin, voir *infra*, pp. 32-34.
64. Ainsi que l'atteste la note (145) du texte de Mirabeau, p. 43, texte identique à celui de 1695, p. 185. On invite le lecteur à se reporter à la traduction au volume IV des *CPW*, d'accès beaucoup plus facile.

Il est compréhensible qu'il commence par supprimer la préface (*CPW* 4 : 301-24) :

L'objectif de Milton est de justifier l'exécution de Charles Ier, au nom de « la loi… de notre peuple. » Cette loi *politique*, particulière à l'Angleterre, renvoie en fait à la loi divine puisque les Anglais n'auraient fait que suivre ce que Dieu avait décrété : le renversement de Charles Ier. Milton ne saurait accomplir sa tâche qu'avec l'aide de Dieu : il s'agit d'un « mémorial » destiné à l'humanité entière — inter-pays, inter-époques : les principes que Milton s'apprête à énoncer ne connaissent aucune frontière spatio-temporelle.

Le châtiment de Charles Ier n'est pas « un meurtre commis par le méchant complot d'hommes sacrilèges » (309), [65] mais il se justifie « par cette loi de nature et de Dieu qui dit que tout ce qui est pour la sécurité de l'État est droit et juste » (317-18).

Chapitre 1 (*CPW* 4 : 324-39)
Milton, réfutant l'analogie roi / père pour dire que le peuple n'est pas coupable de parricide, la rétablit aussitôt lorsqu'il dit que le roi a commis une sorte d'infanticide sur son peuple, qu'il ne doit pas, par conséquent, rester impuni.

Les p. 332-39 ne sont pas reprises par Mirabeau : Milton y dénonce :
– *la folie des politiques* : ceux-ci voulaient encore négocier avec Charles Ier ; l'Armée dut intervenir : « j'hésite à le dire, mais nos troupes ont été plus sages que nos législateurs et ont sauvé la république par les armes alors que les seconds l'avaient presque détruite par leurs votes. » (332-33)
– *la duplicité des Presbytériens* : ils s'indignèrent du procès du roi alors qu'ils avaient préconisé la résistance active au Tyran dans *Scripture and Reason pleaded for Defensive Arms*. [1643] (334-35)
– *l'inconstance de Saumaise*.

Chapitre 2 (*CPW* 4 : 339-73)
Ce chapitre vise à réfuter le droit divin des rois. Milton réinterprète

---

65. À noter que l'édition de *CPW* (vol. 4) est celle de 1658. Cette version définitive comprend des modifications mineures par rapport à celle de 1651.
66. *Qo* 8, 2-4, avec *I S* 13, 13 (le roi doit également rendre des comptes) ; *Dt* 17,

divers passages bibliques, notamment de l'Ancien Testament, cités par Saumaise pour dire que le souverain pouvoir ne réside pas dans le roi, que celui-ci est responsable devant le peuple, qu'il est lié par un *covenant*, qu'il est soumis à la loi[66].

Là où Mirabeau dit « Vous multipliez en vain les citations de l'Écriture », l'original dit : « Vous en venez ensuite aux rabbins – i.e. les écrits juifs (Talmud). Milton oppose la situation des Israélites lorsqu'ils instituent une royauté à la situation de l'Angleterre, en 1649, lorsqu'elle destitue la royauté : Dieu, courroucé de ce que les Siens l'avaient rejeté, ne saurait qu'approuver le choix des Anglais pour un gouvernement républicain.

Chapitre 3 (*CPW* 4 : 373-99)

Milton y affirme que le roi n'est que le serviteur du peuple, que le souverain pouvoir réside dans la loi qu'il a charge de faire appliquer. Il vérifie sa thèse à l'aune de l'Évangile[67]. Mirabeau ne reprend pas le passage *I Corinthiens* 7, 21-23, que Milton interprète comme l'octroi par Christ de la liberté politique. Il ouvre ensuite les arguments rationnels, citant Platon, Aristote ou Cicéron. L'institution de l'État de droit est de source divine, mais les peuples disposent du droit de choisir leurs gouvernants, ainsi que leur mode de gouvernement. C'est une doctrine « absurde et impie » celle qui veut que l'on se soumette à un Tyran, car « la suprême puissance réside dans le peuple. »

Mirabeau supprime deux éléments intéressants : les juridictions séparées Église / État (C'est une évidence en 1789) ; la polémique : Saumaise se contredit puisqu'il est tyrannicide dans l'Église, mais tyrannophile dans l'État. (4 : 398-99)

14-20 (Dieu sait par avance que Son peuple va vouloir un roi), *I S* 8 (l'institution de la royauté proprement dite) ; *Rm* 13, 1 (Tout pouvoir vient de Dieu ; résister à l'Autorité est sacrilège) ; les exemples de Saül (*I S* 10, 24 : choisi par Dieu, Saül est acclamé par le peuple), de David (*II S* 5, 1-3 ; *I Chr* 11, 1-3 : désigné par Dieu, David devient roi des Israélites en vertu d'une alliance qu'il leur octroie) ou encore de Salomon (*I Chr* 29, 23-24).

67. Christ lui-même, roi des Chrétiens, s'est fait esclave (*Ph* 2 : 13) ; il a voulu la chute des Tyrans (*Luc* 1, 51-52). Il adapte le fameux passage « Rendez à César ce qui appartient à César » (*Mt* 17, 24-27) : or, la liberté du peuple ne lui appartient pas. Il cite in extenso *Mt* 20, 25-27, où il est dit que le disciple de Christ est serviteur ; par analogie, « un roi chrétien n'est donc que le ministre du peuple.

Chapitre 4 (*CPW* 4 : 399-421)

Milton va démontrer que le pouvoir du roi est au-dessous des lois, qu'il n'est pas illimité. Il prend l'exemple de Lycurgue : celui-ci avait compris la nécessité de raffermir son pouvoir en reconnaissant l'autorité du Sénat, mais aussi celle des Éphores. En 1660, Milton devait s'opposer à l'adjonction de quelque assemblée populaire (les Éphores à Sparte, le Conseil des Cinq Cents à Athènes, les Tribuns de la plèbe à Rome) dans son projet d'« une libre République ».

S'ensuivent des exemples de l'AT sur l'assassinat des Tyrans, ainsi que des écrits rabbiniques (*CPW* 4 : 401-19) ; Mirabeau les supprime parce qu'il craint la saturation biblique, mais surtout parce que de tels exemples ne concernent plus la France de son siècle. Il en vient à la déposition de Childéric Ier par le pape Zacharie : Milton affirme qu'elle fut à l'initiative de l'assemblée nationale, qu'elle n'est pas le fait de l'Autorité papale. En outre, les Francs avaient institué une royauté élective : ils pouvaient déposer leurs rois « quand ils le jugeaient convenable. » Le peuple était délié de son serment de fidélité dès lors que le roi avait commis le parjure, s'il violait les lois qu'il avait juré de respecter lors de son couronnement.

Chapitre 5 (*CPW* 4 : 422-53)

Milton va prouver la conformité du Tyrannicide à la loi de nature. « Loi de [l']intelligence » (*Rm* 7, 23), elle est participation de l'homme, créature raisonnable, à la loi éternelle. Code de justice abstraite, elle est ce par quoi la conscience distingue le bien du mal, le juste de l'injuste. Tout un chacun est capable de la percevoir par ses propres moyens, y compris le profane (*Rm* 2, 14). Cependant, elle est idéalement présente chez l'homme prélapsaire. Cette loi de nature originaire fut obscurcie par la Chute. L'entendement aveugle, la volonté perverse, le désordre des sentiments font qu'il n'en reste plus que des reliquats — la loi de nature secondaire, qu'expriment les lois de la Cité. Afin de remonter jusqu'à la loi de nature primaire, l'homme doit progresser par l'apprentissage de la maîtrise de soi avec le secours de Dieu, qu'Il a promis en *Jr* 31, 31-33[68].

« La loi de Dieu s'accorde au plus haut point avec la loi de nature. »

---

68. « La loi non écrite est la loi de nature donnée au premier homme. Il en subsiste une sorte de reflet ou de lueur dans le cœur de l'humanité. Jour après jour, chez le régénéré, elle est rénovée par l'opération du Saint Esprit, et se rapproche de son éclat originel de perfection. » (*De Doctrina Christiana* 6: 516)

(4: 422) : Milton confond les deux lois de nature. En revanche, pour Saumaise, elle n'est qu'un sentiment inné à l'homme politique par lequel il s'intéresse au bien public ; elle commande qu'il doit pouvoir choisir ses gouvernants. Choisis en fonction de leur vertu supérieure, il était préférable, de l'aveu de Saumaise, qu'ils fussent plusieurs à gouverner. Incohérence que Milton souligne encore : si les hommes avaient le droit de désigner leurs gouvernants, poursuit Milton, la loi de nature exige qu'ils puissent les déposer s'ils s'avèrent incompétents. Elle implique également que la royauté n'est pas héréditaire si l'on considère que les plus sages seraient appelés à gouverner. Enfin, la raison ordonne que l'on fasse justice d'un roi s'il opprime son peuple.

Tout au long du chapitre, Milton dénonce les incohérences de Saumaise pour dire finalement qu'il est le plus farouche adversaire du parti qu'il est censé défendre.

Mirabeau a supprimé les pages 82-99 (fin du chapitre V), où Milton s'efforce d'illustrer par des exemples puisés dans l'histoire ou la littérature de l'Antiquité ce qu'il vient de prouver, à savoir que le châtiment des Tyrans est conforme à la nature.

Chapitre 6 (*CPW* 4 : 453-61)

La *Defensio Regia* dit « Que la Majesté des Rois est inviolable & ne dépend que de Dieu seul[69] » : selon Saumaise, l'autorité royale implique *ipso facto* que le roi a le pouvoir supérieur : dès lors, il ne saurait rendre de compte à personne, nul ne serait habilité à le juger – excepté Dieu.

Milton va prouver que l'autorité royale est parfaitement compatible avec la souveraineté populaire comme avec le règne de la loi. Le roi n'est mandaté par le peuple que conditionnellement : dépositaire de l'Autorité, il la perd s'il viole la loi. Le peuple, à moins d'être « imbécile » ou « lâche », de se dégrader au rang de brutes, ne saurait confier le pouvoir à un seul, ni s'interdire, le cas échéant, de le reprendre. En outre, la loi suprême est le salut du peuple (Cicéron, *Des Lois* III, iii, 8) : celui-ci prime sur l'intérêt du roi. Ce serait une « audace impie » autant qu'un outrage à la nature humaine d'affirmer que le Tyran ne puisse être châtié pour ses crimes : son peuple n'est pas sa propriété.

---

69. Saumaise, *Apologie royale pour Charles I roy d'Angleterre*, Paris, M. Dupuis, 1650 ; BM Grenoble, C. 1352.

Chapitre 7 (*CPW* 4 : 462-74)

La thèse que défend Saumaise est que le roi, puisqu'il n'a aucun égal dans le royaume, ne peut être jugé par quiconque.

En fait, Milton revient à la charge pour dire que l'autorité du peuple est supérieure à celle du roi. Il s'appuie essentiellement sur deux considérations : les Anciens élevaient le meilleur des hommes au commandement suprême ; il est conforme à la nature, parce que rationnel, que le peuple puisse reprendre le pouvoir si le roi faillit à sa mission – encore plus, si le roi fait peser son joug sur le peuple : à moins d'être servile, il doit se révolter.

La dignité du peuple l'a poussé à imposer un serment à son roi : celui-ci ne saurait impunément être parjure.

Toute proposition législative, pour devenir loi, doit être revêtue du sceau royal : le roi fait la loi, par conséquent, dixit Saumaise, il n'est pas soumis à elle. Certes, dans l'intérêt public, le roi ne sera pas puni pour des délits privés limités, mais s'ils se multiplient, il en ira autrement. L'exécutif devra immédiatement rendre des comptes au législatif[70].

On en vient à la définition du peuple : celui-ci, comme le dit Aristote, n'est pas un agrégat d'individus, mais un Tout. Pour Milton, le peuple est composé des seuls députés à la Chambre des Communes, puisque l'on a à faire à un système politique représentatif. Il ne s'agit pas, comme le comprend Saumaise, de la populace, mais Milton, empruntant encore à Aristote, étend le peuple à *la classe moyenne*, celle des hommes à l'abri des excès de la richesse ou de la pauvreté.

Mirabeau a porté une attention particulière au Chapitre 7, qu'il réorganise presque complètement[71].

Chapitre 8 (*CPW* 4 : 474-95)

Ce chapitre porte essentiellement sur le Parlement. Sur la convocation du Parlement (il pouvait se passer du roi puisqu'il avait la possibilité de se réunir, de sa propre initiative, deux fois l'année), son mode opératoire (le roi ne pouvait se passer du Parlement, d'où émanait le législatif) ; ainsi le roi dépend-il du Parlement : par conséquent, il lui est supérieur.

---

70. On mesure mieux la portée de ce qu'avance Milton si l'on considère les récents évènements politico-judiciaires.
71. Il revient de la fin au milieu du chapitre (*CPW* 4 : 473 à 467).

Milton établit l'origine du Parlement (il provient du Conseil des sages anglo-saxon, *Witenagemot*), avant de s'étendre sur sa composition, documents juridiques à l'appui. Là encore, il va voir la réalité derrière les mots : les barons incluent les roturiers ; les comtes ne représentent qu'eux-mêmes : aussi le Parlement désigne-t-il la Chambre des Communes.

Le pouvoir de juger appartient au peuple, par l'intermédiaire de ses 12 jurés[72]. Milton fouille les archives nationales pour prouver qu'il l'a exercé *de fait* dans le passé, notamment quand le roi viole son serment. Il l'a exercé également *de droit* si l'on se réfère à divers écrits de jurisconsultes anglais au Moyen-Age : Henri de Bracton dit en outre qu'il appartient aux comtes de « brider » le roi. Or, interjette Milton, les comtes désignent les Communes ; d'autre part, il ne serait « ni juste ni convenable » que les barons, créés par le roi, soient habilités à le juger, encore moins à le punir. Milton avait ainsi écarté la Chambre des Lords ; le Parlement ne désignait plus que la Chambre des Communes. Celle-ci, de constitution immémoriale, avait agi conformément à la loi anglaise lorsqu'elle avait jugé le roi.

Cet argument présente deux faiblesses : les douze jurés étaient des Lords ; d'autre part, Milton écrit au début du chapitre que ses Concitoyens ne sont aucunement liés par les dispositions de leurs prédécesseurs : la logique voudrait qu'il ne se réclame pas d'elles pour affirmer des vérités constitutionnelles.

Chapitre 9 (*CPW* 4 : 495-519) *

Ce chapitre regroupe les chapitres IX-X-XI de l'édition originale.

Milton poursuit la discussion sur le devoir du roi de convoquer son Parlement chaque fois que cela est nécessaire. Il s'appuie sur des faits pour avancer des droits : le Parlement, dit-il, peut casser les décisions du roi, révoquer les privilèges qu'il a accordés, limiter ses prérogatives, régler son revenu, déchoir les membres de son Conseil Privé, voire les châtier. Conclusion : « l'autorité du Parlement est supérieure à celle du roi » : le Parlement délibère, le roi exécute (C'est oublier que le roi fait partie du législatif.)

---

72. « On appelloit autrefois *Pairs,* Les principaux vassaux d'un Seigneur, qui avoient entre eux également droit de juger avec luy. » (*Dictionnaire de L'Académie française*, 1694) Ces pairs, institués par Charlemagne, étaient au nombre de douze. Voir également Texte 2, n. 150.

En outre, le glaive, le commandement de la milice, ressortit au peuple pour sa propre préservation. Le roi ne saurait disposer que d'une Armée de mercenaires, d'ennemis de l'État.

Après avoir répondu à plusieurs objections de détail, Milton martèle que le pouvoir souverain réside dans le peuple, qu'il peut juger, voire punir le roi par son Parlement, y compris par un comité *ad hoc* désigné par ses membres.

Mirabeau élimine les circonstances particulières à l'Angleterre (les développements de Milton sur l'Armée, les Presbytériens ou les Indépendants, *CPW* 4 : 509-18).

Chapitre 10 (*CPW* 4 : 519-37)

Le dernier chapitre vise à justifier les chefs d'accusation de Charles Ier, condamné le 27 janvier 1649 comme « tyran, traître et meurtrier » par la Haute Cour de Justice présidée par l'avocat général John Cook.

« Le tyran n'envisage que son intérêt personnel, tandis que le roi a égard à celui de ses sujets », écrit Aristote dans *Éthique à Nicomaque* (VIII, x, 2), définition reprise par Milton. L'accusation de tyrannie repose sur 4 charges : l'abus de biens sociaux (l'impôt visait à financer le faste de la Cour) ; la non-convocation du Parlement (dès lors qu'il s'opposait à ses desiderata) ; le stationnement de troupes étrangères sur le sol anglais (en temps de paix) ; la persécution des consciences protestantes. (le roi était chef de l'Église anglicane)

L'accusation de traîtrise repose sur les négociations secrètes de Charles avec les catholiques irlandais ou avec les calvinistes écossais pour que ceux-ci envahissent l'Angleterre.

L'accusation de meurtre repose sur le massacre d'Anglais en Irlande lors de la rébellion de 1641 ; de plus, Charles avait ouvert les hostilités en levant son étendard à Nottingham le 22 août 1642.

Milton va s'attarder sur le crime de haute trahison, où le prévenu est passible de mort : les royalistes avaient un argument quasi imparable en l'invoquant car le roi ne pouvait être coupable de lèse-majesté. Milton va affûter ses armes dans les minutes du procès de Charles Ier pour essayer, de manière assez peu convaincante, de retourner l'argumentation. Ce crime de lèse-majesté est surtout envers le Parlement, seul juge habilité à en donner la définition !

Enfin, Milton revient sur le serment que le roi prête lors de son couronnement : Charles Ier a trahi la confiance des Anglais. En effet, il a juré d'agir conformément aux lois, mais pas à celles que le peuple, via les Communes, aura choisies.

Milton rappelle, en conclusion, que la monarchie absolue n'a jamais été constitutionnelle en Angleterre, pour deux raisons : un peuple se doit d'être libre — sinon, il se dégrade au rang de brutes ; d'autre part, « [l']autorité civile [a] pour but le salut des bons citoyens » — bien que la majorité souhaite se rendre esclave.

Dans l'édition de 1658, Milton dit qu'il a dénoncé « un sophiste mercenaire » en la personne de Claude Saumaise, mais il en appelle finalement au peuple anglais qu'il s'est proposé de défendre dans son livre. Il l'invite à prendre son avenir en mains, à parvenir à une plus grande maturité politique par l'apprentissage de la maîtrise de soi. S'il se laisse gagner par « des passions corruptrices », Milton l'avertit qu'il devra écrire une « Condamnation du peuple anglais. »

7. - Normes de présentation

Les documents reproduits sont les suivants :

Texte 1. *Sur la liberté de la presse, imité de l'anglois de Milton, par le Cte de Mirabeau* (Londres, 1788 ; In-8, 66 p.)
Le titre porte en note : Le titre de ce morceau, où j'ai suivi de beaucoup plus près mon auteur que ne voudront le croire ceux qui ne consulteront que l'original, et où j'ai plutôt retranché qu'ajouté, est : « Aeropagitica, a speech for the liberty of unlicens'd printing. »

BNF : MFICHE E*- 4880 *support imprimé microformé*
Cette traduction fut à nouveau publiée en 1789, d'abord seule (61 p.), ensuite dans l'introduction de *Doctrine de Milton, sur la royauté*, pp. xiv-lv. La dernière édition date de 1792. (62p.)
Texte 2. *Défense du peuple anglais sur le jugement et la condamnation de Charles Ier, roi d'Angleterre, par Milton. Ouvrage propre à éclairer sur la circonstance actuelle où se trouve la France.* (réimprimé aux frais des administrateurs du département de la Drôme ; Valence : P. Aurel, 1792 ; In-8, 100 p.).

BNF : MFICHE 8- LB41- 2403 *support imprimé microformé*
J'ai respecté au mieux l'original. Cependant, pour en améliorer la lisibilité, j'ai procédé à quelques modifications réduites au minimum :
– dans les deux cas, j'ai modernisé l'orthographe ainsi que la ponctuation ;
– j'ai corrigé les erreurs typographiques.
Lorsque d'éventuelles modifications résultent d'une interprétation personnelle, la version originale figure en note ;
Entre crochets figure ce que j'ai inséré dans le texte de Mirabeau ;
Entre accolades figurent les éléments supprimés parce qu'incorrects en français moderne.

Les notes :

Les notes en bas de page qui sont entre parenthèses ([n]) sont celles du texte de Mirabeau ; lorsque j'ai ajouté un commentaire, cela est précisé par l'indication NDR ;
Les notes en bas de page qui apparaissent sous la forme d'un simple numéro [n] sont les miennes.
FR. en note est mis pour *français*
CPW : The Complete Prose Works of John Milton (voir bibliographie)

SUR LA LIBERTÉ
DE LA PRESSE,

Imité de l'Anglois, de Milton.

Par Mɪʀᴀʙᴇᴀᴜ l'aîné. (*)

―――――――

SECONDE ÉDITION.

―――――――

A PARIS,

Cʜᴇᴢ le Citoyen Lᴇ Jᴀʏ, Libraire, rue neuve des
Petits-Champs, N°. 146, près celle de Richelieu.

****

1792, premier de la République.

―――――――

* L'ᴏɴ trouve à la fin de cette brochure, le Catalogue de ses Ouvrages.

SUR LA LIBERTÉ
DE LA PRESSE,

Imité de l'anglais de Milton [1]

Par le Comte DE MIRABEAU

Who Kills a man Kills a reasonable creature... but, he who destroys a good book, Kills reason it self.

TUER UN HOMME, C'EST DÉTRUIRE UNE CRÉATURE RAISONNABLE ; MAIS ÉTOUFFER [2] UN BON LIVRE, C'EST TUER LA RAISON ELLE-MÊME.

C'EST au moment où le roi invite tous les Français à l'éclairer sur la manière la plus juste et la plus sage de convoquer la nation[3] ; c'est au moment où il augmente son conseil de cent quarante-trois notables appelés de toutes les classes, de toutes les parties du royaume, pour mieux connaître le vœu et l'opinion publique[4] ; c'est au moment où la nécessité

---

(1) Le titre de ce morceau très singulier, où j'ai suivi de beaucoup plus près mon auteur que ne voudront le croire ceux qui ne consulteront pas l'original, et où j'ai plutôt retranché qu'ajouté ; ce titre est : *Areopagitica : A speech for the liberty of unlicens'd printing, To the Parliament of England.* NDR : L'*Areopagitica* de John Milton fut publié à Londres le 23 novembre 1644.

2. Anglais : *destroys* - détruit.

3. Le 5 juillet 1788, le Conseil du roi prescrit de faire des recherches sur les États Généraux précédents ; le 8 août, Louis XVI arrête la date du 1er mai 1789.

4. Le 6 novembre 1788, à l'initiative du roi se réunit une seconde Assemblée des notables, conseil extraordinaire consultatif, "pour y délibérer uniquement sur la

des affaires, la méfiance de tous les corps, de tous les ordres, de toutes les provinces, la diversité des principes, des avis, des prétentions, provoquent [5] impérieusement le concours des lumières et le contrôle universel ; c'est dans ce moment que, par la plus scandaleuse des inconséquences, on poursuit, au nom du monarque, la liberté de la presse, plus sévèrement, avec une inquisition plus active, plus cauteleuse, que ne l'a jamais osé le despotisme ministériel le plus effréné[6].

Le roi demande des recherches et des éclaircissements sur la constitution des états généraux et sur le mode de leur convocation aux assemblées provinciales, aux villes, aux communautés, aux corps, aux savants, aux gens de lettres[7] : et ses ministres arrêtent l'ouvrage posthume d'un des publicistes les plus réputés de la nation[8] ! Et soudain la police, convaincue de sa propre impuissance pour empêcher la circulation d'un livre, effrayée des réclamations qu'un coup d'autorité si extravagant peut exciter ; la police, qui n'influe jamais que par l'action et la réaction de la corruption, paye les exemplaires saisis, vend le droit de contrefaire, de publier ce qu'elle vient de proscrire, et ne voit, dans ce[t] honteux trafic de tyrannie et de tolérance, que le lucre du privilège exclusif d'un jour !

Le roi a donné des assemblées à la plupart de ses provinces, et le précis des procès-verbaux de ces assemblées, ouvrage indispensable pour en saisir l'ensemble et pour en mettre les résultats à la portée de tous les citoyens, ce précis, d'abord permis, puis suspendu, puis arrêté,[(9)] ne peut

---

manière la plus régulière et la plus convenable de procéder à la formation des États généraux de 1789." (Convocation du 5 octobre 1788, in *Archives parlementaires* I : 391). La première Assemblée, réunie en 1787, se composait de 144 membres. L'un d'eux, décédé ou empêché, n'a pas été remplacé.
5. Fr. : Accord sujet / verbe : pluriel.
6. Mirabeau ne doute pas des bonnes intentions du roi ; il critique son Cabinet.
7. Tout le monde est concerné par la déclaration royale du 5 juillet 1788.
8. Il s'agit sans doute du *Précis des procès-verbaux des administrations provinciales depuis 1779 jusqu'en 1788. Ouvrage contenant le résumé des objets traités dans les différents bureaux* (Strasbourg : Levrault, 1788), 2 vol. in-8 ° reliés en 1.
(9) C'est M. Levrault, imprimeur de Strasbourg, qui éprouve en ce moment cette iniquité. Cet artiste, recommandable par ses talents, et surtout par sa probité délicate, a, indépendamment de ses principes, trop à perdre pour rien hasarder dans son état. Il n'a donc imprimé ce très innocent recueil qu'après avoir rempli toutes les formalités qui lui sont prescrites ; et il n'en souffre pas moins une prohibition absolue et une perte considérable.

franchir les barrières dont la police, à l'envi de la fiscalité,[10] hérisse chaque province du royaume, où l'on semble vouloir mettre en quarantaine tous les livres pour les purifier de la vérité.

Le roi, par cela même qu'il a consulté tout le monde, a implicitement accordé la liberté de la presse[11] : et l'on redouble toutes les gênes de la presse !

Le roi veut connaître le vœu de son peuple : et l'on étouffe, avec la plus âpre vigilance, les écrits qui peuvent le manifester !

Le roi veut réunir les esprits et les cœurs : et la plus odieuse des tyrannies, celle qui prétend asservir la pensée, aigrit tous les esprits, indigne tous les cœurs !

Le roi veut appeler les Français à élire librement des représentants pour connaître, avec lui, l'état de la nation, et statuer les remèdes qu'il nécessite : et ses ministres[12] font tout ce qui est en eux pour que les Français ne s'entendent pas, pour que les mille divisions dont la nation inconstituée est viciée depuis plusieurs siècles viennent se heurter sans point de ralliement, sans moyen d'union et de concours ; pour qu'en un mot l'Assemblée nationale[13] soit une malheureuse agrégation de parties enne-

---

NDR : François-Georges Levrault (1722-98). Imprimeur-libraire. Imprimeur de l'évêque, de l'université épiscopale ; imprimeur de l'intendance ; imprimeur du département du Bas-Rhin (1790). Originaire de Lorraine, il travaille à partir de 1756 comme prote chez Guillaume Schmuck ; il en épouse la petite-fille M-A. E. Christmann en 1751. Succède à son beau-père Jean-Robert. Également propriétaire d'une papeterie, ainsi que d'une fonderie de caractères. Commence à se retirer des affaires en 1789 en faveur de ses fils.

10. Les méthodes de la police rivalisent avec celles du fisc. Cette rhétorique autorise Mirabeau à condamner l'arbitraire dans le prélèvement de l'impôt, principale doléance des révolutionnaires.

11. La liberté d'expression.

12. On voit Mirabeau rejeter la responsabilité sur les conseillers royaux. En 1642, Milton, à l'instar des parlementaires, imputait la faute de la mauvaise administration du royaume d'Angleterre au Conseil privé de Charles Ier : ses membres sont qualifiés d'« usurpateurs » (*CPW* 2 : 489), d'hommes doués d'« une jalousie hautaine, » par opposition aux Communes magnanimes (Id.). Secrétaire latin de la jeune République, Milton veut que l'on ouvre les yeux en 1649 lorsqu'il se propose de démystifier le roi : « Ce qui est en fait sa propre culpabilité, que l'on n'attribuera plus à ses mauvais conseillers (artifice que le Parlement a utilisé plus longtemps que lui-même ne l'a désiré) sera exposé ici sans ambages, déposé devant sa propre porte. » (*Eikonoklastes* 3 : 341)

13. Celle des notables. L'Assemblé Constituante est créée le 17 juin 1789.

mies, dont les opérations incohérentes, fausses et désastreuses, nous rejettent, par la haine de l'anarchie, sous la verge du despotisme ; et non un corps de frères dirigés par un intérêt commun, animés de principes semblables, pénétrés du même vœu, qui fasse naître un esprit public, fondé sur l'amour et le respect des lois ! [14]

Certes, ils commettent un grand attentat, ceux qui, dans la situation où la France se trouve plongée, arrêtent l'expansion des lumières[15]. Ils éloignent, ils reculent, ils font avorter autant qu'il est en eux le bien public, l'esprit public, la concorde publique. Ils n'essaient d'aveugler que parce qu'ils ne peuvent convaincre ; ils ne s'humanisent à séduire que parce qu'ils ne peuvent pas corrompre ; ils ne songent à corrompre que parce qu'ils ne sauraient plus intimider : ils voudraient paralyser, mettre aux fers, égorger tout ce qu'ils ne pourraient intimider, corrompre ni séduire ; ils craignent l'œil du peuple, ils veulent tromper le prince : ce sont les ennemis du prince, ce sont les ennemis du peuple. [(16)]

Mais les ennemis du prince et ceux du peuple n'osent ourdir leurs machinations et tramer leurs complots que parce qu'il existe des préjugés qui leur donnent des auxiliaires parmi ceux-là même qui ne sont pas leurs complices. Tel est le plus fatal inconvénient de la gêne de la presse, de rendre, par l'ignorance ou par l'erreur, des cœurs purs, des hommes timorés, les faillites du despotisme en même temps qu'ils en sont les victimes[17].

Et, par exemple, une foule d'honnêtes gens, oubliant que le sort des hommes est d'avoir à choisir entre les inconvénients, seraient sincèrement alarmés de la liberté de la presse ; grâce à la prévention qu'on a su leur donner contre les écrivains qui ont paru les apôtres intéressés de cette liberté,[18] parce que, quelquefois, ils en ont abusé... La liberté de la presse enfante de mauvais livres, donc il faut la restreindre. Ceux qu'on appelle *philosophes* invoquent la liberté de la presse, et souvent ils l'ont portée

---

14. Là où Milton prône, au nom de la charité chrétienne, l'union des sectes protestantes dissidentes, Mirabeau demande l'union des ordres politiques.
15. La vérité est lumière.
(16) Cet alinéa est presque littéralement dans les *Questions à examiner avant l'Assemblée des États-Généraux*, par M. le Marquis de Casaux, penseur profond, excellent Citoyen du Monde. NDR : (1788), p. 57.
17. Fr. : de faire,... d'en faire.
18. Certains défenseurs de la presse ne voulaient servir que leur avantage personnel.

jusqu'à la licence, donc il faut se garder de leur doctrine… [19] Tel est l'argument favori de ceux qu'on appelle *les honnêtes gens*, et dont, en effet, la morale privée, la probité de détail [sont] très estimable[s] ; [20] mais qui, faute de généraliser leurs idées et de saisir l'ensemble du système social, sont vraiment de dangereux citoyens et les plus funestes ennemis, peut-être, de l'amélioration des choses humaines.

C'est donc à eux surtout qu'il importe de s'adresser ; et, comme je leur suppose de la bonne foi, même avec leurs adversaires, j'ai cru qu'il serait utile de mettre sous leurs yeux une réfutation de leur argument, poursuivi dans toutes ses conséquences morales, par un homme, au moins dans cette matière, très imbu [21] de leurs principes. Il écrivait il y a 150 ans, dans un siècle tout religieux, où, bien que l'on commençât à discuter [d]es grands intérêts de cette vie, en concurrence avec ceux de l'autre, les raisons théologiques étaient de beaucoup les plus efficaces[22]. On n'a point accusé cet homme d'être un philosophe ; [23] et si, dans quelques-uns de ses écrits, Milton s'est montré républicain violent,[(24)] il n'est dans celui-ci, où il s'adresse à la législature de la Grande-Bretagne, qu'un paisible argumentateur[25].

---

19. Cependant, la position de Charles de Casaux est celle-ci : « En France… la liberté de la presse, outre la restriction du libelle proscrit & puni partout, peut y être soumise à celle de ne rien imprimer sans le nom de l'Auteur. » (*Questions…, op. cit.*, 75)

20. Fr. : Accord sujet / verbe : pluriel.

21. Fr. : au courant de.

22. L'herméneutique scripturaire occupe une place importante dans les pamphlets de Milton ; la Bible est la norme absolue pour l'ensemble des choses de la vie (individuelle ou collective).

23. Terme péjoratif, par rapport au politique.

(24) Il appelle, par exemple, Charles premier *Nerone neronior.* NDR : L'expression « républicain violent » est intéressante : l'abolition de la royauté, de la Chambre haute en 1649, la décapitation de Charles Ier devaient nécessairement se faire dans la violence ; d'autre part, Milton a été tyrannicide, non pas régicide. Cette expression, de plus, révèle les atermoiements de Mirabeau, tantôt du côté de l'Assemblée, tantôt du côté de Louis XVI.

25. Milton n'est pas un paisible argumentateur puisqu'il demande « la suppression des Suppresseurs » (*Areopagitica* 2 : 561), à savoir des censeurs ou des presbytériens majoritaires à la Chambre des Communes, responsables de la restauration de la censure (14 juin 1643) ; en outre, il dénonce le monopole de la Corporation des Libraires (Id., 570).

Je ne prétends pas, Milords et Messieurs,[26] que l'Église et le Gouvernement n'aient intérêt à surveiller les livres aussi bien que les hommes afin, s'ils sont coupables, d'exercer sur eux la même justice que sur des malfaiteurs ; [27] car un livre n'est point une chose absolument inanimée. Il est doué d'une vie active comme l'âme qui le produit ; il conserve même cette prérogative de l'intelligence vivante qui lui a donné le jour[28]. Je regarde donc les livres comme des êtres aussi vivants et aussi féconds que les dents du serpent de la fable ;[29] et j'avouerai que, semés dans le monde, le hasard peut faire qu'ils y produisent des hommes armés. Mais je soutiens que l'existence d'un bon livre ne doit pas plus être compromise que celle d'un bon citoyen ; l'une est aussi respectable que l'autre, et l'on doit également craindre d'y attenter. Tuer un homme, c'est détruire une créature raisonnable ; mais étouffer un bon livre, c'est tuer la raison elle-même. Quantité d'hommes n'ont qu'une vie purement végé-tative et pèsent inutilement sur la terre ; mais un livre est l'essence pure et précieuse d'un esprit supérieur ; c'est une sorte de préparation que le génie donne à son âme afin qu'elle puisse lui survivre. La perte de la vie, quoique irréparable, peut quelquefois n'être pas un grand mal ; mais il est possible qu'une vérité qu'on aura rejetée ne se présente plus dans la suite des temps, et que sa perte entraîne le malheur des nations.

Soyons donc circonspects dans nos persécutions contre les travaux des hommes publics[30]. Examinons si nous avons le droit d'attenter à leur vie intellectuelle dans les livres qui en sont les dépositaires ; car c'est une espèce d'homicide, quelquefois un martyre, et toujours un vrai mas-sacre,[31] si la proscription s'étend sur la liberté de la presse en général.

---

26. Mirabeau prend le discours *in medias rae*
27. Les livres, comme les malfaiteurs, sont justiciables : s'ils sont reconnus de noci-vité publique, ils seront supprimés. Milton ne s'oppose pas à la censure post-publi-cation.
28. Sir Francis Bacon (1561-1626), *The Advancement of Learning* I, viii, 6.
29. Ovide, *Métamorphoses* III, 101-30 ; VII, 121-42. Voir Paolo Sarpi, *History of the Inquisition* (1639 ; éd. Humphrey Moseley), p. 69.
30. Il ne s'agit pas de littérature, mais d'écrits politiques, œuvres de quiconque s'adresse à l'État – y compris le simple citoyen.
31. Les livres sont dépositaires de la vie intellectuelle de leurs Auteurs comme la Bible, « le meilleur des Livres », est dépositaire de la parole de Dieu. (*Apologie* 1 : 941 ?)

Mais afin qu'on ne m'accuse pas d'introduire une licence pernicieuse en m'opposant à la censure des livres,[32] j'entrerai dans quelques détails historiques pour montrer quelle fut, à cet égard, la conduite des gouvernements les plus célèbres, jusqu'au moment où L'INQUISITION imagina ce beau projet de censure que nos prélats et nos prêtres adoptèrent avec tant d'avidité[33].

A Athènes, où l'on s'occupait de livres plus que dans aucune autre partie de la Grèce, je ne trouve que deux sortes d'ouvrages qui aient fixé l'attention des magistrats : les libelles et les écrits blasphématoires. Ainsi, les juges de l'Aréopage condamnèrent les livres de Protagoras à être brûlés et le bannirent lui-même, parce qu'à la tête d'un de ses ouvrages, il déclarait qu'il ne savait point *s'il y avait des Dieux ou s'il n'y en avait pas*[34]. Quant aux libelles, il fut arrêté qu'on ne nommerait plus personne sur le théâtre, comme on le faisait dans l'*ancienne comédie*,[35] ce qui nous donne une idée de leur discipline à cet égard. Cicéron prétend que ces mesures suffirent pour empêcher la diffamation et pour imposer silence aux athées. On ne rechercha point les autres opinions ni les autres sectes quoiqu'elles tendissent à la volupté et à la dénégation de la divine providence ; aussi ne voyons-nous point qu'on ait jamais cité devant les magistrats Épicure,[36] ni l'école licentieuse de Cyrène,[37] ni l'impudence

---

32. Jeu de mots en anglais sur licence : autorisation, licence : laisser-aller.

33. Tribunal de l'Inquisition, créé en 1231 par le pape Grégoire IX pour la répression des crimes d'hérésie ou d'apostasie, des faits de sorcellerie ou de magie.

34. Accusé d'impiété, Protagoras d'Abdère (vers 485-411 avant J.-C.), célèbre Sophiste, fut chassé d'Athènes. Auteur de *Des Dieux*, ouvrage dans lequel il affirmait : "des dieux, je ne peux savoir ni s'ils existent, ni s'ils n'existent pas, ni quel pourrait bien être leur aspect" (source : Cicéron, *Sur la nature des Dieux*, I, xxiii), il est connu pour sa maxime que "l'homme est la mesure de toutes choses," formule que critique Platon dans le *Théétète* : les choses sont telles qu'elles paraissent à tel ou tel individu ; aussi le vrai principe des choses n'est-il pas dans le monde extérieur, mais dans l'esprit humain.

35. Celle d'Aristophane (vers 450-385 avant J.-C.), satire virulente de personnalités contemporaines.

36. Épicure (341-270 avant J.-C.) identifiait le plaisir au souverain bien. Cependant, l'hédonisme n'est pas volonté de jouissance immédiate et sans limite, mais recherche de la paix de l'âme.

37. Selon Aristippe (vers 435-356 avant J.-C), le but de la vie, le bonheur, ne consiste qu'en plaisir.

cynique[38]. Nous ne lisons pas non plus qu'on ait imprimé les anciennes pièces de théâtre, quoiqu'il ait été défendu de les jouer. On voit qu'Aristophane, le plus satyrique de tous les poètes comiques, faisait les délices de Platon, et qu'il en recommandait la lecture à Denis, son royal disciple, [39] ce qui ne doit pas paraître extraordinaire puisque S. Chrysostome[40] passait les nuits à lire cet auteur et savait mettre à profit, dans des sermons, les sels de ses sarcasmes et de sa piquante ironie.

Quant à la rivale d'Athènes, Lacédémone, le goût de l'instruction ne put jamais s'y naturaliser ; et certes, on doit en être surpris, car elle eut Lycurgue pour législateur, [41] et Lycurgue n'était point un barbare : il avait cultivé les belles-lettres ; il fut le premier à recueillir dans l'Ionie les œuvres éparses d'Homère ; et même avant l'époque où il donna des lois aux Spartiates, il eut la précaution de leur envoyer le poète Thalès [42] afin que, par la douceur de ses chants, il amollît la férocité de leurs mœurs et les disposât à recevoir les bienfaits de la législation. Cependant, ils négligèrent toujours le commerce des Muses pour les jeux sanglants de Mars. Les censeurs de livres étaient inutiles chez eux, puisqu'ils ne lisaient que leurs apophtegmes laconiques et que, sous le plus léger prétexte, ils chassèrent de leur ville le poète Archiloque, [43] dont tout le crime était peut-être de s'être élevé un peu au-dessus de leurs chansons guerrières ; ou si

---

38. Après Antisthène, Diogène de Sinope (vers 413-327 avant J.-C.), mendiant vivant presque nu dans un tonneau, refusait ostensiblement les conventions ; en outre, il affirmait que seule la vertu ascétique permet de se libérer en s'affranchissant du désir.

39. Le tyran de Syracuse, Denis l'Ancien (vers 431-367 avant J.-C.), que Platon ne réussit pas à convertir, avait suspendu au-dessus de la tête de Damoclès une lourde épée, attachée à un crin de cheval, pour lui faire comprendre combien le bonheur d'un roi est fragile.

40. Saint Jean Chrysostome (vers 349-407) : prêtre ascétique d'Antioche, devenu patriarche de Constantinople (398), il est déposé parce qu'il condamne le luxe du haut clergé, ainsi que l'adultère de l'impératrice ; rappelé à la suite d'une émeute populaire, il dut s'exiler.

41. Lycurgue, fondateur semi-légendaire de la Constitution spartiate (IXe siècle avant J.-C.)

42. Thalétas (VIIe siècle avant J.-C.) aurait mis en musique les lois lacédémoniennes.

43. Archiloque (vers 712-648 avant J.-C.), premier auteur satirique connu (Cf. ses *Élégies*), considéré comme l'inventeur de l'ïambe.

l'obscénité de ses vers fut le prétexte de ce mauvais traitement, on ne doit pas en faire honneur à la continence des Spartiates, car ils étaient très dissolus dans leur vie privée, au point qu'Euripide assure dans son Andromaque que toutes les femmes y étaient impudiques. [44] Voilà ce que nous savons de la prohibition des livres chez les Grecs.

Les Romains, pendant longtemps, marchèrent sur les traces des Spartiates. C'était un peuple absolument guerrier. Leurs connaissances politiques et religieuses se réduisaient à la loi des douze tables et aux instructions de leurs prêtres, de leurs augures, de leurs flamines. Ils étaient si étrangers aux autres sciences, qu'alors que Carnéade, Critolaus et Diogène le stoïcien vinrent en ambassade à Rome [45] et voulurent profiter de cette circonstance pour essayer [d']introduire leur philosophie dans cette ville, ils furent regardés comme des suborneurs ; Caton n'hésita point à les dénoncer au Sénat et à demander qu'on purgeât l'Italie de ces babillards attiques. Mais Scipion et quelques autres sénateurs [46] s'opposèrent à cette proscription ; ils s'empressèrent de rendre hommage aux philosophes athéniens ; et Caton lui-même changea si bien de sentiment par la suite qu'il se livra tout entier, dans sa vieillesse, à l'étude de ces connaissances qui, d'abord, avaient excité son indignation[47].

Cependant, vers le même temps, Naevius et Plaute, les premiers comiques romains,[48] offrirent sur le théâtre des scènes empruntées de

---

44. Les femmes pratiquaient la gymnastique "les cuisses nues et la robe flottante" aux côtés des hommes. (*Andromaque* 1 : 590-93)

45. Carnéade (vers 215-129 av. J.-C.), représentant le plus marquant de la philosophie probabiliste ; Critolaus (vers 192-110 av. J.-C.), directeur de l'École péripatétique au milieu du siècle ; Diogène de Babylone, directeur de l'École stoïque au milieu du siècle.

En 155 av. J.-C., Athènes, condamnée par le Sénat romain à verser une lourde amende pour le pillage d'Oropus, envoie une délégation à Rome pour obtenir un pardon. Ses philosophes avaient l'occasion de s'illustrer, mais ils furent incompris du censeur Caton (234-149 av. J.-C.)

Source : Cicéron, *De la République*, III, vi.

46. Scipion l'Africain (185-129 av. J.-C.) : général romain, détruisit Carthage en 146 avant J.-C.

47. Cicéron, *De Senectute*, VIII, 26 ; Cornelius Nepos (vers 100-25 avant J.-C.), *Vie de Caton*, III.

48. Naevius (vers 270-201 av. J.-C.) : poète latin, auteur de satires visant ses contemporains, amis de Scipion l'Africain, pour lesquelles il fut condamné à la prison, avant de connaître l'exil ; Plaute (vers 254-184 av. J.-C.) : célèbre poète comique romain.

Ménandre et de Philémon[49]. Ici, s'ouvre le beau siècle de la littérature latine, époque à laquelle les Romains surent enfin allier la gloire des lettres à celle des armes. Étouffées par la tyrannie, ces deux moissons renaissent sous l'influence de la liberté républicaine. Lucrèce chante l'athéisme ;[50] il le réduit en système et cherche à l'embellir des charmes de la poésie ; tout le monde applaudit à ses beaux vers : il les dédie à son ami Memmius,[51] sans que personne [ne] lui en fasse un crime. On ne persécuta ni l'auteur ni l'ouvrage, parce qu'on sait que la liberté publique repose sur la liberté de la pensée : César même respecta les annales de Tite-Live,[52] quoiqu'on y célébrât le parti de Pompée.

Oui, malgré les proscriptions, le luxe corrupteur et toutes les causes qui se réunirent pour miner le vaste édifice de la grandeur romaine ; si Rome eut conservé l'indépendance de la pensée, elle ne serait jamais devenue l'opprobre des nations : jamais elle n'aurait subi le joug des monstres qui l'enchaînèrent et l'avilirent, si la servitude intellectuelle n'eut préparé la servitude politique[53]. Aussi lisons-nous que, sous Auguste,[54] les libelles furent brûlés et leurs auteurs, punis. Et cet attentat était si nouveau que le Magistrat ne s'enquérait point encore de quelle manière un livre arrivait dans le monde. On n'inquiéta pas même la muse satyrique de Catulle et d'Horace[55]. Peut-être dira-t-on qu'Ovide,[56] dans un âge avancé, fut exilé pour les poésies licencieuses de sa jeunesse. Mais on sait qu'une cause secrète fut le motif de son exil, et ses livres ne furent ni bannis ni supprimés.

---

49. Ménandre d'Athènes (vers 342-292 av. J.-C), illustre représentant de la Nouvelle Comédie, où les aventures sentimentales ou romanesques jouent le plus grand rôle ; Philémon (vers 361-262 av. J.-C), poète comique grec, rival du précédent.
50. Lucrèce (vers 98-55 avant J.-C.), expose la doctrine de l'épicurisme dans *De Rerum Natura*.
51. Il dédie le poème probablement à Gaius Memmius, gendre du dictateur Lucius Cornelius Sulla (de 82 à 79 av. J.-C.), afin d'obtenir ses faveurs ; préteur en 58 av. J.-C.
52. Tite-Live, historien romain (vers 64 av. J;-C. - 10). Auteur d'une *Histoire de Rome* des origines à l'an - 9. Voir Tacite, *Annales*, IV, 35.
53. Lien inextricable.
54. Source : Tacite, *Annales*, I, 72.
55. Catulle (vers 87-54 av. J.-C), auteur de pièces lyriques ; Horace (65-8 av. J.-C), auteur des *Satires*.
56. Ovide (43 av. J.-C - 18), auteur de *L'Art d'aimer*, traité parodique sur la société élégante de Rome.

Enfin, nous arrivons aux siècles de tyrannie, où l'on ne doit pas être surpris qu'on étouffât les bons livres plus souvent que les mauvais. Que dis-je ? Il n'était plus permis de parler ni d'écrire. Le despotisme eût voulu donner des fers à la pensée même. Tacite peint en un trait ces temps déplorables : nous eussions perdu, dit-il, la mémoire avec la voix, s'il était aussi bien au pouvoir de l'homme d'oublier que de se taire[57].

Quand les empereurs eurent embrassé le christianisme,[58] nous ne trouvons pas qu'ils aient mis de sévérité dans leur discipline à l'égard des productions de l'esprit. Les livres de ceux que l'on regardait comme de grands hérétiques étaient examinés, réfutés et condamnés dans un concile général.[59] Jusque-là, ils n'étaient ni proscrits ni brûlés par ordre de l'Empereur. Quant aux livres des païens, on ne trouve pas d'exemple d'un seul ouvrage qui ait été prohibé jusque vers l'an 400 au Concile de Carthage, où l'on défendit aux évêques même la lecture des livres des Gentils ;[60] mais on leur laissa la liberté de consulter ceux des hérétiques, tandis que leurs prédécesseurs, longtemps auparavant, se faisaient moins de scrupule de lire les livres des païens que ceux des hérésiarques.

Le père Paolo,[61] {le} grand démasqueur du Concile de Trente, a déjà observé que, jusqu'après l'an 800, les premiers conciles et les évêques étaient dans l'usage de déclarer seulement les livres dont on devait éviter la lecture, laissant néanmoins à chacun la liberté de faire selon sa conscience, ainsi qu'il le jugerait à propos. Mais les papes, attirant à eux toute la liberté politique, exercèrent sur les yeux des hommes le même despotisme qu'ils avaient exercé sur leurs jugements : ils brûlèrent et prohibèrent au gré de leur caprice ; cependant, ils furent d'abord économes de

---

(57) *Memoriam quoque ipsam cum voce perdidissemus si tam in nostra potestate esset oblivisci quam tacere.* NDR : Tacite (vers 55-120), historien romain. La citation n'est pas dans *Areopagitica*.

58. Constantin Ier (306-37) reconnut le christianisme comme religion d'État par les édits de Milan en 313.

59. Comme celui de Nicée, en 325, prohibant l'arianisme.

60. Les païens.

61. Paolo Sarpi (1552-1623), frère de l'ordre des Servites. Auteur d'une Histoire du Concile de Trente (1619). Il fut, par ses écrits, un des protagonistes principaux de la polémique opposant la république de Venise à la curie romaine, plus spécialement au pape Paul V. Édition récente de Marie Viallon, Bernard Dompnier, Champion, 2001. Concile de Trente : 1545-63.

leurs censures, et l'on ne trouve pas beaucoup de livres auxquels ils aient fait cet honneur jusqu'à Martin V qui, le premier par sa bulle, [62] non seulement prohiba les livres des hérétiques, mais encore excommunia tous ceux qui s'aviseraient de les lire. C'est à peu près dans ce temps que les Wicklef et les Huss se rendirent redoutables, [63] ce qui détermina la Cour papale à renforcer la police des prohibitions. Léon X et ses successeurs suivirent cet exemple. [64]

Enfin, le Concile de Trente et l'Inquisition espagnole, s'accouplant [bien] ensemble, [65] produisirent ou perfectionnèrent ces catalogues, ces *index* expurgatoires qui, [66] souillant jusque dans les entrailles des bons auteurs anciens, les outragèrent bien plus indignement qu'aucune profanation qu'on eût pu se permettre sur leurs tombeaux. Et non seulement cette opération se faisait sur les livres des hérétiques, mais, dans quelque matière que ce fût, tout ce qui n'agréait point à ces révérences était impitoyablement prohibé. En un mot (comme si Saint-Pierre, en leur confiant les clefs du paradis, leur avait aussi remis celle de l'Imprimerie !), [67] pour combler la mesure des prohibitions, leur dernière invention fut d'ordonner qu'aucun livre, brochure ou papier ne pourraient être imprimés sans l'approbation de deux ou trois frères inquisiteurs. Par exemple :

« Que le Chancelier *Ceni* ait la complaisance d'examiner si le présent manuscrit ne contient rien qui puisse en empêcher l'impression. »

---

62. Martin V, pape 1417 -31 ; sa bulle, *Inter Cunctas* (1418), visait à supprimer les écrits hérétiques.

63. John Wyclif (1320-84), précurseur de la Réforme : "That Englishman honor'd of God to be the first preacher of a general reformation to all *Europe*." (*Tetrachordon* 2 : 707) ; Jan Huss (1371-1415), réformateur religieux tchèque, condamné au bûcher.

64. Léon X, pape 1475-1521 Tous les écrits furent soumis à la censure avec sa bulle « Inter sollicitudines. » (3 mai 1515) L'examen préalable était confié aux évêques ou à des censeurs qu'ils désigneraient, ainsi qu'à l'inquisiteur. Les imprimeurs contrevenant à la nouvelle disposition étaient passibles d'excommunication ; en outre, ils pouvaient écoper d'une amende ; les livres, saisis, étaient brûlés.

65. Fr. : Le français moderne dirait plutôt « s'accouplant » ; « s'accouplant ensemble » fait redondance.

66. Le pape Paul IV édite le premier *Index des livres interdits* en 1559, ainsi qu'un *Index auctorum*.

67. Voir *Matthieu* 16, 19. Pierre donne les clés aux Juifs (*Actes des Apôtres* 2) et aux païens (Id., 10, 44-48) : il leur communique l'Esprit Saint si bien qu'ils peuvent se convertir au christianisme.

« *Vincent Rabbata*, Vicaire de *Florence*. »

« J'ai lu le présent manuscrit, et je n'y ai rien trouvé contre la foi catholique ni contre les bonnes mœurs : en témoignage de quoi, j'ai donné, etc. »

« *Nicolas Cini*, Chancelier de *Florence* »

« D'après le compte rendu ci-dessus, permis d'imprimer le présent manuscrit. »

« *Vincent Rabbata*, etc. »

« Permis d'imprimer, le 15 juillet. »

« *Frère Simon Mompei d'Amelia*, Chancelier du Saint-Office à *Florence*. »

Ils étaient sûrement persuadés que si depuis longtemps le malin esprit n'eut pas brisé sa prison, ce quadruple exercice eût été capable de l'y retenir. Veut-on voir une autre formule ?

« *Imprimatur*, s'il plaît au Révérend Maître du saint Palais. »

« *Belcastro*, Vice-gérant. »

« *Imprimatur*, frère *Nicolo Rodolphe*, Maître du saint Palais. »[68]

Quelquefois, à la première page du livre, on voit cinq de ces *imprimatur* qui s'appellent l'un l'autre, se compliment et forment entre eux un dialogue, tandis que le pauvre auteur, au bas de son épître, attend respectueusement leur décision et ne sait s'il obtiendra les honneurs de la presse ou de l'éponge.

Telle est l'origine de la coutume d'approuver les livres. Nous ne la trouvons établie par aucun gouvernement ancien ni par aucun statut de nos ancêtres : elle est le fruit du concile le plus anti-chrétien et de l'Inquisition la plus tyrannique[69]. Jusqu'à cette époque, les livres arrivaient librement dans le monde comme toutes les autres productions de la nature. On ne faisait pas plus avorter l'esprit que les entrailles. Imposer à un livre une condition pire que celle d'une âme pécheresse et l'obliger, avant d'avoir vu le jour, à paraître devant Rhadamanthe et ses Collègues, pour subir son jugement dans les ténèbres,[70] c'est une tyrannie dont on n'avait pas d'exemple, jusqu'à cette mystérieuse iniquité qui, troublée aux approches

---

68. Source : Paolo Sarpi, *op. cit.*.

69. Elle n'a rien de politique.

70 Lorsqu'un homme meurt, il descend aux Enfers soit par le cratère de l'Étna, soit par des grottes en Italie, gardées par le chien Cerbère. Les Enfers sont formés d'une berge ainsi que de quatre fleuves infranchissables - le Styx, l'Achéron, le Cocyte et le Pyriphlégéton, lesquels forment un cercle. Les morts, arrivant sur la berge,

de la Réforme, imagina de nouvelles limbes et de nouveaux enfers pour y renfermer nos livres et leur faire subir le sort des réprouvés : sage précaution qui fut admirablement prônée et imitée par nos évêques inquisiteurs aussi bien que par les derniers suppôts de leur clergé[71] !

Dira-t-on que la chose en elle-même peut-être bonne, quoique provenant d'une source impure ? Mais si elle est directement contraire aux progrès des lumières, si les gouvernements les plus sages dans aucun temps ni dans aucun pays ne l'ont mise en pratique, si elle n'a été imaginée que par des charlatans et des oppresseurs, on aura beau la mettre au creuset, il n'en résultera jamais le moindre bien : la connaissance de l'arbre ne peut qu'inspirer de la méfiance pour le fruit[72]. Cependant, voyons si la liberté illimitée [73] de la presse ne produit pas plus de bien que de mal.

Je n'insisterai point sur les exemples de Moïse, de Daniel et de Paul,[74] qui se montrèrent si habiles dans les connaissances des Égyptiens, des Chaldéens et des Grecs, ce qu'ils n'auraient pas fait, sans doute, s'ils n'avaient pu lire indistinctement les livres de ces différentes nations : Paul, surtout, qui ne crut pas souiller l'Écriture Sainte en y insérant quelques passages des poètes grecs. Cependant, cette question fut agitée parmi les docteurs de la primitive Église ; mais l'avantage resta du côté de ceux qui soutenaient que la chose était à la fois utile et légitime. On en eut une preuve bien évidente lorsque l'empereur Julien [75] défendit aux chrétiens

---

doivent les traverser sur la barque de Charon, qu'il faut payer d'une pièce. C'est pourquoi les Grecs, en enterrant leurs morts, leur placent une pièce dans la bouche. S'ils n'en ont pas, les morts sont condamnés à errer sur la berge éternellement. Une fois le fleuve franchi, les morts arrivent sur l'île centrale séparée en deux : une partie appelée Champs-Élysées est le séjour des bienheureux ; l'autre appelée Tartare est le lieu des supplices éternels, comme celui de Tantale. Les morts sont amenés, selon le jugement de Minos, Rhadamanthe et Éaque (juges des Enfers), vers l'une ou l'autre partie.

71. Les Anglicans, à la suite des Catholiques.

72. Matthieu 7, 15-20.

73. L'original parle seulement de « liberté de la Presse. » (*Areopagitica* 2 : 485)

74. Moïse (*Actes aux Apôtres* 7, 22) ; Daniel (*Livre de Daniel* 1, 17) ; Paul, citant Aratos (*Actes aux Apôtres* 17, 28), Épiménide (*Épître à Tite* 1, 12) ou Ménandre (*Ière Épître aux Corinthiens* 15, 33).

75. Afin d'entraver les chrétiens, Julien l'apostat leur proscrit l'enseignement des lettres classiques (*Carnet* 1 : 377). Flavius Claudius Julianus, Empereur romain 361-63, renia le christianisme de son oncle.

de lire les livres des idolâtres parce qu'il voulait plonger ces mêmes chrétiens dans l'ignorance ; et, en effet, il y serait parvenu, car les deux Apollinaire [76] furent obligés de chercher dans la Bible la connaissance des sept arts libéraux et de créer une nouvelle grammaire chrétienne. La Providence, dit l'historien Socrate, fit plus que toute la sagacité d'Apollinaire et de son fils : elle anéantit cette loi barbare en ôtant la vie à celui qui l'avait promulguée[77]. Cette défense de s'instruire de la littérature des Grecs parut plus outrageante et plus pernicieuse à l'Église que les persécutions les plus cruelles des Décius et des Dioclétien[78].

Mais laissant là l'érudition, les autorités, les exemples, et remontant à la nature des choses, je dirai : lorsque Dieu permit à l'homme d'user modérément de toutes les productions de la nature, il voulut aussi que l'esprit jouît du même privilège ; et quoique la tempérance soit une des plus grandes vertus, Dieu la recommanda simplement aux hommes, sans rien prescrire de particulier à cet égard afin que chaque individu pût la pratiquer à sa manière[79].

Le bien et le mal ne croissent point séparément dans le champ fécond de la vie ; ils germent l'un à côté de l'autre et entrelacent leurs branches d'une manière inextricable. La connaissance de l'un est donc nécessairement liée à celle de l'autre. Renfermés sous l'enveloppe de la pomme dans laquelle mordit notre premier père, ils s'en échappèrent au même instant ; et tels que deux jumeaux, ils entrèrent à la fois dans le monde[80].

---

76. L'original dit qu'ils furent si éperdus que l'un d'eux, le père, évêque de Loadicée (vers 390), entreprit de transposer les sujets bibliques dans le genre théâtral, la poésie et le dialogue socratique. (*Areopagitica* 2 : 509)

77. Socrate Scholasticus (vers 385-440), grand historien de l'Église ; son *Histoire ecclésiastique* est la source principale des informations que l'on a aujourd'hui au sujet de l'Église primitive ; III, xvi.

78. Dèce, empereur romain (249-51) ; Dioclétien, empereur romain (284-305). Le pape doit abjurer la foi chrétienne, sacrifier aux dieux, alors que des centaines de ses coreligionnaires, plus courageux que leur chef, périssent sur l'échafaud, gagnant ainsi les lauriers du martyre.

79. Dieu ordonne *la tempérance*, à savoir *que l'on modère son appétit pour les plaisirs des sens* (*De doctrina christiana*, Columbia Ed., XVII, 213). « La tempérance inclut la sobriété et la chasteté, la décence et la pudeur. » (Id.)

80. Image biblique : *la parabole du blé et de l'ivraie* (*Matthieu* 13, 24-30 ; 36-43), où « un ennemi » (le diable) s'en vient lâchement semer de mauvaises herbes (les sujets du Malin) au milieu du champ que le maître de maison (Christ) a emblavé (les croyants).

Peut-être même, dans l'état où nous sommes, ne pouvons-nous parvenir au bien que par la connaissance du mal ; [81] car, comment choisira-t-on la sagesse ? Comment l'innocence pourra-t-elle se préserver des atteintes du vice si elle n'en a pas quelque idée ? Et puisqu'il faut absolument observer la marche des vicieux pour se conduire sagement dans le monde ; puisqu'il faut aussi démêler l'erreur pour arriver à la vérité, est-il une méthode moins dangereuse de parvenir à ce but, que celle d'écouter et de lire toutes sortes de traités et de raisonnements ? Avantage qu'on ne peut se procurer qu'en lisant indistinctement toutes sortes de livres[82].

Craindra-t-on qu'avec cette liberté indéfinie l'esprit ne soit bientôt infecté du venin de l'erreur ? [83]

Il faudrait, par la même considération, anéantir toutes les connaissances humaines, ne plus disputer sur aucune doctrine, sur aucun point de religion, et supprimer même les livres sacrés, car souvent on y trouve des blasphèmes ; les plaisirs charnels des méchants y sont décrits sans beaucoup de ménagements ; les hommes les plus saints y murmurent quelquefois contre la Providence, à la manière d'Épicure ; il s'y rencontre une foule de passages ambigus et susceptibles d'être mal interprétés par des lecteurs vulgaires. Personne n'ignore que c'est à cause de toutes ces raisons que les papistes ont mis la bible au premier rang des livres prohibés[84].

Nous serions également obligés de défendre la lecture des anciens pères de l'Église, tels que Clément d'Alexandrie [85] et Eusèbe qui, dans son livre, nous transmet une foule d'obscénités païennes pour nous préparer à recevoir l'Évangile[86]. Qui ne sait point qu'Irénée, Épiphane, Jérôme, etc., dévoilent encore plus d'hérésies qu'ils n'en réfutent ; que souvent, ils confondent l'hérésie avec l'opinion orthodoxe ? [87] Et qu'on ne dise

---

81. L'homme postlapsaire ne saurait connaître le bien que par le mal.
82. On passe de la liberté de l'écrivain, celle d'écrire, à la liberté du lecteur, celle de lire n'importe quel livre.
83. Mirabeau supprime plusieurs références bibliques. Cf. Introduction, Chapitre 5.
84. Par opposition au protestantisme, où la lecture de la Bible s'impose à chacun.
85. Père de l'Église grecque (c. 150 - c. 125). Il crée à Alexandrie vers 190 une école où il enseigne jusqu'à sa persécution par Septime Sévère (202). Auteur de l'*Exhortation aux Grecs*, où il entreprend de dissuader ses concitoyens à prendre part aux rites païens.
86. Eusèbe (c. 264- c. 340), évêque de Césarée. Auteur d'une *Préparation évangélique*, où il affirme que Dieu a préparé différentes cultures à recevoir l'Évangile.
87. Respectivement Irénée, évêque de Lyon (177-202), *Contre les hérésies* ; Épiphane,

pas qu'il faut faire grâce aux auteurs de l'antiquité parce qu'ils ont écrit dans un langage qu'on ne parle plus ; puisqu'ils sont journellement lus et médités par des gens qui peuvent en répandre le vénin dans les sociétés, et même à la cour des princes dont ils font les délices ; des gens peut-être, tels que Pétrone, [88] que Néron appelait *son arbitre*, et qui avait l'intendance des plaisirs nocturnes de cet empereur ; ou tel que l'Arétin, [89] ce fameux impudique qu'on redoutait, et qui, cependant, était cher à tous les courtisans de l'Italie ; je ne nommerai point, par respect pour sa postérité, celui que Henri VIII appelait, en plaisantant, son *Vicaire de l'enfer*[(90)].

Si donc il est démontré que les livres qui paraissent influer le plus sur nos mœurs et sur nos opinions ne peuvent être supprimés sans entraîner la chute des connaissances humaines, et que, lors même qu'on parviendrait à les soustraire tous, les mœurs ne laisseraient pas de se corrompre par une infinité d'autres voies qu'il est impossible de fermer ; enfin si, malgré les livres, il faut encore l'enseignement pour propager les mauvaises doctrines ; ce qui pourrait avoir tout aussi bien lieu, quoiqu'ils fussent prohibés, on sera forcé de conclure qu'envisagé sous ce point de vue, le système insidieux des approbations est du moins parfaitement inutile ; et ceux qui le mettent en pratique dans un sincère espoir d'élever une barrière contre le mal, on pourrait les comparer à ce bon homme qui croyait retenir des corneilles en fermant la porte de son parc.

D'ailleurs, comment confier ces livres, dont les hommes instruits tirent eux-mêmes quelquefois le vice et l'erreur pour les répandre ensuite chez les autres ? Comment confier ces livres à des censeurs, à moins qu'on ne leur confère ou qu'ils ne puissent se donner à eux-mêmes, le privilège de l'incorruption et de l'infaillibilité [(91)] ? Encore, s'il est vrai, que

évêque de Constance (367-404), *Panarion* ; Jérôme (340-420), père / docteur de l'Église, *XVIIIe Épître* (NB : il fut chargé par le pape de traduire la Bible en latin – la future *Vulgate*.)

88. Pétrone (mort en 66), auteur du *Satyricon*, suite de saynètes dépeignant cruauté, débauche et poésie dans la Rome antique.

89. Arétin : Pietro Aretino (1492-1556), écrivain italien, surnommé le « fléau des princes. » Auteur des *Ragionamenti*, six dialogues aussi désinvoltes qu'obscènes ; il menait une vie licencieuse.

(90) Cromwell, un des ancêtres du Protecteur par les femmes. NDR : Il s'agit, en fait, de Sir Francis Brian, cousin de la reine Ann Boleyn, seconde femme d'Henri VIII, qu'il fera décapiter en 1536. Voir note 118, *CPW* 2 : 518.

(91) En France, un censeur qui s'avise de faire la moindre brochure est obligé de la

semblable au bon chimiste, l'homme sage peut extraire de l'or d'un volume rempli d'ordures, tandis que le meilleur livre n'avise point un fou, quelle est donc la raison qui ferait priver l'homme sage des avantages de sa sagesse sans qu'il en résulte le moindre bien pour les fous, puisqu'avec des livres ou sans livres, ils n'en extravagueront pas moins ?

Mais pourquoi nous exposer aux tentations sans nécessité ? Pourquoi consacrer notre temps à des choses vaines et inutiles ?

Futiles objections ! Les livres ne sont pas des objets inutiles ni tentateurs pour tous les hommes. [92] Quant aux enfants et aux hommes enfants, qui ne savent pas les mettre à profit, on peut leur recommander de s'en abstenir ; mais jamais les y forcer, quelque moyen que puisse imaginer la sainte Inquisition ; et si l'on parvient à démontrer cette assertion, il faudra convenir que le projet de censurer les livres ne saurait remplir son but.

On a déjà vu qu'aucune nation policée n'avait fait usage de cette méthode, et que c'était une invention de la politique moderne. Si les anciens ne l'ont point imaginée, ce n'est pas, sans doute, qu'elle fût bien difficile à découvrir (rien n'est plus aisé que de défendre) [(93)], mais parce qu'ils ne l'ont point approuvée. Platon semble bannir les livres de sa république, [94] mais on voit bien que ses lois étaient faites pour une république imaginaire puisque le législateur était le premier à les transgresser, et que ses propres magistrats auraient eu le droit de le chasser pour ses dialogues et ses épigrammes graveleuses, pour ses lectures journalières de Sophron, de Mimus et d'Aristophane, [95] livres remplis d'infamies, le dernier sur-

---

faire approuver par un de ses confrères ; mais si le gouvernement se méfie d'un censeur au point de ne pas lui permettre de publier ses propres ouvrages sans approbation, comment peut-il lui confier le droit d'approuver ou de désapprouver ceux des autres ?

92. « (…) mais d'actifs minéraux, » précise l'original. (*Areopagitica* 2 : 521)

(93) Les peines et les prohibitions sont à la portée des esprits les plus bornés ; on peut les regarder comme le *pont aux ânes* des politiques. Ils les considèrent comme une manière expéditive de remédier à tout. Cependant une longue expérience devrait bien leur avoir appris qu'elles ne remédient à rien.

94. Platon, *Lois*, VII, 801.

95. En fait, Sophron le mimographe (Syracuse, seconde moitié du Ve siècle) : Platon aurait introduit ses livres à Athènes. Jadis, le "mime" était un bref dialogue impliquant deux personnages populaires, fait de phrases courtes pour être plus près de la vie. (Source : Diogène Laërce, *Vies & doctrines des philosophes illustres* III, 13) ; pour Aristophane, voir *infra*.

tout, et dont cependant Platon recommandait la lecture à Denys, [96] qui pouvait employer son temps à tout autre chose. Aussi, ni Platon lui-même ni les magistrats d'aucun pays ne s'avisèrent jamais de faire observer les lois qu'il a tracées pour sa république imaginaire.

Si nous voulons subordonner la presse à des règlements avantageux pour les mœurs, il faudra soumettre à la même inspection les plaisirs et les divertissements : il faudra des censeurs pour le chant, qui ne permettront que des sons graves et doriques, car la musique est encore une source de corruption ; il en faudra pour la danse afin qu'on n'enseigne aucun geste indécent à notre jeunesse, chose à laquelle Platon n'a pas manqué de faire attention : vingt censeurs [97] auront assez d'occupation dans chaque maison pour inspecter les guitares, les violons et les clavecins ; il ne faudra pas qu'ils permettent qu'on jase comme on fait aujourd'hui, mais qu'ils règlent tous les discours qu'on devra tenir. Et comment empêcher la contrebande des soupirs, des déclarations et des madrigaux qui s'échapperont à voix basse dans les appartements ? Ne seront [ils] pas autant de marrons [(98)] qui circuleront sous les yeux même du censeur ? Ne faudra-t-il pas également surveiller les fenêtres et les balcons ? Ne sont-ils pas garnis de livres dont les dangereux frontispices appellent l'acheteur ? Où trouver assez de censeurs pour empêcher ce commerce ?

Cette inquisition ne doit pas se borner à la ville : il faudra départir des commissaires dans les campagnes pour inspecter les livres des magistrats et des ménétriers, car ils sont les philosophes et les romanciers du village. Et puis, quelle plus grande source de corruption que notre gloutonnerie

---

96. Denys de Syracuse, voir *infra*.
97. L'ordonnance du 20 juin 1643 prévoit A. **12** censeurs pour « les Ouvrages de Théologie » ; B. **5** , voire **7** pour le droit ; C. médecine & chirurgie : **5** ; D. héraldique : **1** ; E. philosophie, histoire, poésie, morale & littérature : **3** (y compris la personne dans B. 5) ; F. « courts pamphlets, portraits, dessins, etc. » : **1** ; G. mathématiques & almanachs : **1**. Total : 27-30. 20 personnes sont nommément désignées à titre non provisoire (a : 12, b : 5, e : 2, g : 1).
(98) On sait que ce mot *marron* est le terme d'argot en librairie, pour exprimer un livre défendu ou publié en contravention aux règlements, tant il est d'instinct universel chez nous, que les livres et leurs auteurs sont les *nègres* des censeurs. Ces sobriquets populaires sont en général des indices assez sûrs de l'état de situation d'un peuple. En France, on appelle le peuple, c'est-à-dire la plus grande partie de la nation, *la canaille*. En Angleterre on l'appelle *John Bull*, le taureau.
NDR : Le terme *marron* ne s'applique plus aujourd'hui qu'à des personnes.

domestique? [99] Où trouver assez de censeurs pour régler nos tables et pour empêcher que la multitude ne s'enivre dans les tavernes? On ne doit pas non plus laisser à chacun la liberté de s'habiller comme il lui plaît ; la décence veut qu'il y ait des censeurs qui président à la coupe des habits. Enfin, qui pourra prohiber les visites oisives et les mauvaises sociétés?

Tous ces inconvénients existent, et ils doivent exister. Un sage gouvernement ne cherche pas à les détruire (il n'en a ni le droit ni le pouvoir), mais à combiner leur action avec le bien général de la société. Pour améliorer notre condition, il ne s'agit point de réaliser les systèmes impraticables de l'Atlantide et de l'Utopie, [100] mais de régler sagement le monde dans lequel l'Être suprême [101] nous a placés, sans oublier que le mal entre dans ses parties constitutives. Ce n'est point en ôtant la liberté de la presse que l'on pourra se flatter de parvenir à cette fin, puisque les moindres objets exigeraient la même censure, et qu'ainsi, par cette méthode, nous ne ferions que nous donner des entraves ridicules et inutiles. C'est par les lois non écrites, ou du moins non forcées, d'une bonne éducation, que Platon regarde comme le lien des corps politiques et la base fondamentale des lois positives ; [102] c'est sur cette base, dis-je, qu'il faut élever l'édifice des mœurs, et non sur l'appui dérisoire d'une censure qu'il est si facile d'éluder, et dont les inconvénients ne sont jamais compensés par le moindre avantage.

La négligence et l'impunité ne peuvent qu'être funestes à tous les gouvernements ; [103] le grand art consiste à savoir les choses que l'on doit prohiber, celles qu'on doit punir et celles où il ne faut employer que la persuasion. [104] Si toutes les actions, bonnes ou mauvaises, qui appartiennent à l'âge mûr, pouvaient être taillées, prescrites et contraintes, la vertu ne serait plus qu'un nom. Comment pourrait-on louer un homme de sa bonne conduite, de sa probité, de sa justice ou de sa tempérance? Qu'ils sont fous,

---

99. C'était la réputation des Anglais.
100. Voir Thomas More, *Utopie* (1516) ; Sir Francis Bacon, *La nouvelle Atlandide* (1627).
101. L'original dit « God. » (Dieu) (*CPW* 2 : 526)
102. Platon, *Lois* I, 643-44.
103. Le pouvoir politique, répressif ou coercitif, est rendu nécessaire par la Chute.
104. L'éducation est *réveil* : « il est impossible que la conscience ou droite raison soit complètement endormie, y compris chez l'homme le plus mauvais. » (*De la Doctrine chrétienne* 6 : 132)

ceux qui osent blâmer la divine Providence d'avoir souffert que le premier homme tombât dans le crime ! Lorsque Dieu lui donna la raison, il lui donna la liberté de choisir, car c'est cette faculté qui constitue la raison : autrement, l'homme n'eût été qu'une machine. [105] Nous-mêmes, nous n'estimons l'amour, les bienfaits, la reconnaissance, qu'autant qu'ils sont volontaires. Dieu donc créa le premier homme libre ; c'était le seul moyen de rendre son abstinence méritoire ; et pourquoi l'Être suprême a-t-il mis le siège des passions en nous et la foule des plaisirs autour de nous, si ce n'est afin que, modérés par nous, ils devinssent l'assaisonnement de la vertu ?

Ils sont donc bien peu versés dans la connaissance des choses humaines, ceux qui s'imaginent qu'écarter les objets, c'est écarter le mal ; car, outre qu'ils se reproduisent toujours, quand on viendrait à bout d'en dérober passagèrement une partie à quelques personnes, cette précaution ne pourra jamais s'étendre à l'universalité, surtout dans une chose aussi générale que les livres ; et quand on y parviendrait, le mal n'en existerait pas moins. Vous pouvez enlever son or à un avare, mais il lui reste toujours un bijou dont il n'est pas en votre pouvoir de le priver, c'est-à-dire son avarice. Banissez tous les objets de convoitise, enfermez la jeunesse sous des verrous ; par cette méthode, vous ne rendrez chastes que ceux qui l'étaient avant d'être soumis à votre discipline, tant il faut de soin et de sagesse pour bien diriger les hommes.

Supposons que, par ces moyens, vous puissiez écarter le mal : autant vous écartez de maux, autant vous éloignez de vertus, car le fonds en est le même ; ils ont une source commune ; leur existence est proprement relative et se rapporte à des combinaisons étrangères au principe qui les produit. [106] Nous naviguons diversement sur le vaste océan de la vie ; la raison en est la boussole, mais la passion en est le vent. Ce n'est pas dans le calme seul que l'on trouve la divinité ; Dieu marche sur les flots et monte sur les vents. Les passions, ainsi que les éléments, quoique nées pour combattre, cependant mêlées et adoucies, s'unissent dans l'ouvrage de Dieu ; il n'a point renversé les passions ; il n'a fait que les modérer, et il les a employées. Que les gouvernements soient dociles à la nature et à Dieu ; il nous recommande la tempérance, la justice, la continence, et cependant,

---

105. Le français moderne dirait « marionnette. » Milton dénonce le déterminisme.
106. Milton est-il relativiste ?

il verse autour de nous les biens avec profusion et il nous donne des désirs illimités. Pourquoi les législateurs des humains suivraient-ils une marche contraire lorsqu'il s'agit de l'instruction humaine, puisque les livres permis indistinctement peuvent à la fois épurer les vertus et contribuer à la découverte de la vérité ? Peut-être vaudrait-il mieux apprendre que la loi qui prohibe est essentiellement vaine, incertaine, et qu'elle repose sur le bien comme sur le mal. [107] Si j'avais à choisir, la moindre somme de bien me paraîtrait préférable à la fuite forcée [108] de la plus grande quantité de mal, car le libre développement d'un être vertueux est sans doute plus agréable à l'Être suprême que la contrainte de dix êtres vicieux.

Puisque tout ce que nous voyons ou que nous entendons, soit assis, soit dans les promenades, soit dans les conversations ou dans les voyages, peut s'appeler proprement notre livre [109] et produit sur nous le même effet que les écrits, il est évident que, si l'on ne peut supprimer que les livres, cette prohibition ne parviendra jamais aux fins qu'elle se propose ; si l'on n'envisage que l'intérêt des mœurs, qu'on jette les yeux sur l'Italie et sur l'Espagne : ces nations se sont-elles améliorées depuis que l'Inquisition a pris à tâche d'y proscrire les livres ?

Et si vous voulez une preuve irrévocable de l'impossibilité que cette institution puisse jamais remplir son but, considérez les qualités qu'exige la place de censeur. Celui qui s'établit juge de la naissance ou de la mort d'un livre, qui peut, à son gré, le faire entrer dans le monde ou le replonger dans le néant, doit sans doute l'emporter infiniment sur les autres hommes par ses lumières ou son équité : autrement il ferait des injustices ou des méprises, ce qui ne serait pas un moindre mal. S'il a le mérite nécessaire pour de si importantes fonctions, c'est lui imposer une tâche ennuyeuse et fatigante, c'est vouloir qu'il se consume à lire perpétuellement le premier manuscrit qui se présentera. En vérité, pour peu qu'un homme apprécie son temps et ses études, il ne saurait se charger d'une pareille tâche ; mais si l'on ne peut espé-

---

107. Rien ne vaut la loi intérieure, voix de la conscience.
108. L'original de Mirabeau dit : « suite ». Il s'agit probablement d'une erreur typographique, car l'original de Milton parle de « forcible hindrance », d'*empêchement, par force*.
109. Large définition. En définitive, le livre désigne l'expérience humaine, les relations de l'individu avec son environnement ; il ne renvoie plus à un contenant (l'objet), ni à un contenu (le sujet), mais il signifie la réaction de l'homme dans ses rapports au monde.

rer que les hommes de mérite se l'imposent, qui ne prévoit en quelles mains doit tomber la dignité de censeur ?

Voyons cependant si, sous quelque autre rapport, il peut résulter du bien de la censure. C'est d'abord un affront et un grand motif de découragement pour les lettres et pour ceux qui les cultivent. Sur le moindre bruit d'une motion pour empêcher la pluralité des bénéfices [110] et distribuer plus équitablement les revenus de l'Église, les prélats se sont récriés que ce serait décourager et éteindre toute espèce d'érudition. Mais je n'ai jamais trouvé de raison de croire que l'existence de connaissances humaines tînt à l'existence du clergé,[111] et j'ai toujours regardé ce propos sordide comme indigne de tout homme d'Église auquel on laissait l'absolu nécessaire. Si donc vous êtes destinés, Milords et Messieurs, à décourager entièrement, non la troupe mercenaire des faux savants, mais ceux que leur vocation appelle à cultiver les lettres sans autre motif que de servir Dieu et la vérité,[112] peut-être aussi dans l'attente de cette renommée future et des éloges de la postérité, que le ciel et les hommes assignent pour récompense à ceux dont les ouvrages contribuent au bonheur de l'humanité ; s'il faut, dis-je, que vous les découragiez absolument, sachez que vous ne pouvez pas leur faire un plus grand outrage que celui de vous méfier de leur jugement et de leur honnêteté, au point de les soumettre à un tuteur sous lequel ils ne puissent jamais donner l'essor à leur pensée.

Et quelle différence y aura-t-il entre l'homme de lettres et l'enfant qu'on envoie à l'école si, délivré de la férule, il faut qu'il tombe sous la touche du censeur ? Si, semblables aux thèmes d'un écolier, des ouvrages travaillés avec soin ne peuvent voir le jour sans la révision prompte ou tardive d'un approbateur ? Celui qui, dans sa patrie, se voit privé de la liberté de ses actions, n'a-t-il pas lieu de croire qu'on l'y regarde comme un étranger ou comme un fou ?

Un homme qui écrit appelle toute sa raison à son secours. Après avoir pris tous les renseignements possibles sur le sujet qu'il traite, il ne se contente pas de ses recherches et de ses méditations ; il consulte encore des amis. Si toutes ces précautions dans l'acte le moins équivoque de la maturité de son esprit, si les années entières qu'il y emploie et les preuves

---

110. Milton la condamne avec virulences dans ses pamphlets anti-épiscopaux.
111. C'était le cas au Moyen-Âge.
112. Il ne s'agit pas de littérature comme divertissement.

antérieures de son habileté ne peuvent jamais rassurer sur son compte, à moins que le fruit de ses veilles ne passe sous les yeux d'un censeur, quelquefois plus jeune, moins judicieux, et peut-être ignorant absolument ce que c'est que d'écrire ; en un mot, si l'auteur, échappant à la proscription, ne peut, après plusieurs délais, se présenter à l'impression que comme un mineur accompagné de celui qui le tient sous sa tutelle ; s'il faut, enfin, que la signature du censeur lui serve de caution et garantisse au public qu'il n'est ni corrupteur ni imbécile, c'est avilir, c'est dégrader à la fois l'auteur et le livre, et flétrir en quelque sorte la dignité des lettres.

Comment un écrivain qui craint de voir mutiler ses meilleures pensées et d'être forcé de publier un ouvrage imparfait, ce qui sans doute est la plus cruelle vexation, comment cet écrivain osera-t-il donner l'essor à son génie ? Où trouvera-t-il cette noble assurance qui convient à celui qui enseigne des vérités nouvelles et sans laquelle il vaudrait autant qu'il se tût ; s'il sait que toutes ses phrases seront soumises à l'inspection et à la correction d'un censeur qui peut, au gré de son caprice, effacer ou altérer ce qui ne s'accordera point avec son humeur réprimante qu'il appelle son jugement ? S'il sait qu'à la vue de la pédantesque approbation, le lecteur malin jettera le volume en se moquant du docteur qu'on mène par les lisières ? [113]

Qu'on examine les livres munis d'approbation, on verra qu'ils ne contiennent que les idées les plus communes, et par cela même souvent les plus fausses. En effet, d'après sa mission, le censeur ne peut laisser circuler que les vérités triviales, pour lesquelles ce n'était pas la peine d'écrire, ou les erreurs favorisées. Par un abus encore plus déplorable, quand il s'agit d'imprimer ou de réimprimer les œuvres d'un écrivain mort depuis longtemps, et dont la réputation est consacrée, s'y trouve-t-il une pensée féconde, échappée au zèle de l'enthousiasme ? Il faudra qu'elle périsse sous le scalpel de la censure. Ainsi, par la timidité, la présomption ou l'incapacité d'un censeur, l'opinion d'un grand homme sera perdue pour la postérité… Si ceux qui en ont le pouvoir ne s'empressent pas de remédier à cet abus, s'ils permettent qu'on traite aussi indignement les productions orphelines des grands hommes, quelle sera donc la condition de ces êtres privilégiés qui auront le malheur d'avoir du génie ? Ne faudra-t-il pas qu'ils cessent d'instruire ou qu'ils apportent le plus grand

---

113. Fr. : Lisères : bandes ou cordons attachés au vêtement d'un enfant pour le soutenir quand il commence à marcher. (vx.)

soin à cacher leurs connaissances, puisque l'ignorance, la paresse, la sottise deviendront les qualités les plus désirables et les seules qui pourront assurer le bonheur et la tranquillité de la vie ?

Et comme c'est un mépris particulier pour chaque auteur vivant, et une indignité plus outrageante encore pour les morts, n'est-ce pas aussi dégrader et avilir toute la nation ? Il m'est impossible de comprendre par quelle adresse on pourrait renfermer dans vingt têtes, quelque bonnes qu'on les suppose, le jugement de savoir, l'esprit et l'érudition de tout un peuple. Encore moins concevrais-je la nécessité qu'elles en aient la surintendance, que toutes les idées passent à leur couloir, et que cette monnaie ne puisse avoir de cours si elle n'est pas frappée à leur coin. L'intelligence et la vérité ne sont pas des denrées propres au monopole, ni dont on doive soumettre le commerce à des réglements particuliers. [114] Eh quoi ! Prétend-on les emmagasiner et les marquer comme nos draps et nos laines ! Quelle honteuse servitude s'il faut que vingt censeurs taillent toutes les plumes dont nous voudrons nous servir !

Si l'on voulait punir un auteur qui, contre sa raison et sa conscience, se serait permis des ouvrages scandaleux et attentatoires à l'honnêteté publique, quelle plus grande flétrissure pourrait-on lui infliger que d'ordonner qu'à l'avenir toutes ses autres productions seraient révisées et ne paraîtraient qu'avec l'attache d'un censeur ? Et c'est toute une nation ! C'est l'universalité des gens de lettres qu'on réduit à cette condition humiliante ! On laisse des débiteurs, des coupables même aller sur leur parole, et un livre inoffensif ne pourra se présenter dans le monde sans qu'on voie son geôlier sur le frontispice ? N'est-ce donc pas là un affront pour le peuple ? N'est-ce pas supposer toute la classe des lecteurs dans un état d'ineptie ou de perversité qui demande qu'on dirige leurs lectures ? Croit-on que si l'on n'avait pas cette charité pour eux, ils n'auraient jamais l'esprit de prendre la bonne nourriture et de laisser le poison ?

En un mot, on ne peut pas regarder la censure des livres comme une méthode dictée par la sagesse, car, si c'était un moyen sage, il faudrait l'appliquer à tout ; il n'y aurait pas de raison pour qu'on s'en servît pour les livres plutôt que pour tout autre chose ; c'est là, sans doute, une invincible démonstration que ce moyen n'est bon à rien.

---

114. On a utilisé le passage précité pour faire de Milton un apôtre du libéralisme économique, ce qu'il n'est pas.

Et de peur, Messieurs, qu'on ne vous dise que ce découragement des gens de lettres sous la férule des censeurs n'est qu'une crainte chimérique, souffrez que je vous rapporte ce que j'ai vu et ce que j'ai entendu dans les pays où règne cette espèce de tyrannie. Lorsque je me suis trouvé parmi les gens de lettres de ces nations, car j'ai eu quelquefois cet honneur, [115] ils n'ont cessé de me féliciter d'être né dans un pays qu'ils supposaient libre ; tandis qu'eux-mêmes, ils ne faisaient autre chose que déplorer la servile condition à laquelle les gens instruits se trouvaient réduits parmi eux. Ils prétendaient qu'ainsi s'était perdue la gloire des lettres en Italie et que, depuis plusieurs années, on n'y écrivait plus que de plates adulations, de coupables mensonges ou d'insipides niaiseries. C'est là que j'ai visité le célèbre Galilée, [116] blanchi dans les fers de l'Inquisition pour avoir eu sur l'astronomie des opinions différentes de celles des approbateurs franciscains et dominicains. Quoique je susse fort bien que l'Angleterre gémissait sous le joug de la prélature, [117] je recevais néanmoins comme un gage de son bonheur à venir la certitude actuelle de sa liberté que je trouvais si bien établie entre toutes les nations. J'ignorais cependant que ma patrie renfermait alors dans son sein les dignes auteurs de sa délivrance qui ne sera jamais oubliée, quelque révolution que le monde doive subir. Mais, lorsque j'entendais les gens de lettres des autres contrées gémir sur l'Inquisition qui les asservissait, je ne croyais pas qu'un projet de censure dût forcer ceux de mon pays à former de pareilles plaintes contre le Parlement. Elles étaient générales quand je me suis permis de m'y joindre ; ce n'est point ma cause particulière dont j'ai entrepris la défense : [118] c'est la cause commune de tous ceux qui cultivent les lettres et consacrent leurs veilles à éclairer les hommes.

Que ferez-vous donc, Messieurs ? Supprimerez-vous cette brillante moisson de lumières qui, de jour en jour, nous promet une récolte si heureuse ? La soumettrez-vous à l'oligarchie de vingt monopoleurs pour

---

115. Lors de son Grand Tour européen, notamment en Italie.

116. Galilée (1564-1642), condamné par le tribunal de l'Inquisition à vivre en résidence surveillée (Arcetri, à côté de Florence) pour son *Dialogue sur les deux principaux sytèmes du monde* (1632).

117. L'anglicanisme avait gardé la hiérarchie épiscopale, héritée de l'Église catholique romaine.

118. On venait d'essayer, en vain, de censurer sa *Doctrine & Discipline du Divorce* (1643, 1re édition).

qu'ils ramènent les temps de disette et affament entièrement nos esprits ? Croyez que ceux qui donnent un semblable conseil ne sont pas moins ennemis de l'État que s'ils conseillaient de vous supprimer vous-mêmes.

En effet, si l'on cherche la cause immédiate de la liberté de penser et d'écrire, on ne la trouvera que dans la liberté douce et humaine de votre gouvernement.[119] Cette liberté que nous devons à votre valeur et à votre sagesse fut toujours la mère du génie. C'est elle qui, pareille à l'influence des cieux, est venue tout à coup élever et vivifier nos esprits. Vous ne pouvez maintenant nous rendre moins éclairés, moins avides de la vérité, à moins que vous ne commenciez par le devenir vous-mêmes, à moins que vous ne détruisiez votre ouvrage en renversant de vos propres mains l'édifice de la liberté.

Nous pouvons encore rentrer dans l'ignorance, dans l'abrutissement, dans la servitude. Mais auparavant, ce qui n'est pas possible, il faut que vous deveniez oppresseurs, despotes, tyrans, comme l'étaient ceux dont vous nous avez affranchis. Et si nous sommes plus intelligents, si nos pensées ont pris un nouvel essor ; enfin, si nous sommes devenus capables de grandes choses, n'est-ce pas une suite de vos propres vertus qui se sont identifiées en nous ? Pouvez-vous les y étouffer sans renouveler et renforcer cette loi barbare qui donnait aux pères le droit d'égorger leurs enfants ?[120] Et qui pourra se charger alors de conduire un troupeau d'aveugles ? Ôtez-moi toutes les autres libertés, mais laissez-moi celle de parler et d'écrire selon ma conscience !

Et quel temps fut jamais plus favorable à la liberté de la presse ? Le temple de Janus est fermé, [121] c'est-à-dire [qu']on ne se bat plus pour des mots ; ce serait faire injure à la vérité que de croire qu'elle pût être arrachée par le vent des doctrines contraires : [122] qu'elles en viennent aux mains, et vous verrez de quel côté restera la victoire. La vérité eut-elle jamais le dessous quand elle fut attaquée à découvert et qu'on lui laissa la liberté

---

119. La censure était abolie de fait en 1640, l'abolition de la Chambre étoilée ayant créé un vide juridique.
120. *Jus vitae et necis*, droit absolu du père romain sur ses enfants ; aboli en 318.
121. Janus, Dieu représenté avec deux visages opposés, gardien des portes à Rome. Son temple sur le Forum possède 2 entrées fermées en temps de paix ; elles restent ouvertes en temps de guerre pour que le dieu puisse se porter au secours des Romains.
122. C'est de la confrontation des contraires que surgit la vérité. Voir *Épître aux Éphésiens* 4 : 14-15.

de se défendre ? Réfuter librement l'erreur est le plus sûr moyen de la détruire. Quelle contradiction ne serait-ce pas si, tandis que l'homme sage nous exhorterait à fouiller avidement partout pour découvrir le trésor caché de la vérité, le gouvernement venait arrêter nos recherches et soumettre nos connaissances à des lois prohibitives ?

Lorsqu'un homme a creusé la profonde mine des connaissances humaines, lorsqu'il en a extrait les découvertes qu'il veut mettre au grand jour, il arme ses raisonnements pour leur défense ; il éclaircit et discute les objections. Ensuite, il appelle son adversaire dans la plaine et lui offre l'avantage du lieu, du vent et du soleil. Car se cacher, tendre des embûches, s'établir sur le pont étroit de la censure, où l'agresseur soit nécessairement obligé de passer, quoique toutes ces précautions puissent s'accorder avec la valeur militaire, c'est toujours un signe de faiblesse et de couardise dans la guerre de la vérité. Qui peut douter de sa force éternelle et invincible ? [123] Qu'a-t-elle besoin, pour triompher, de police ni de prohibition ? Ne sont-ce pas là les armes favorites de l'erreur ? Accordez à la vérité un plus libre développement, sous quelque forme qu'elle se présente, et ne vous avisez pas de l'enchaîner tandis qu'elle dort, car elle cesserait de parler son langage. Le vieux Protée ne rendit des oracles que lorsqu'il était garrotté. [124] Mais la vérité, dans cet état, prend toutes sortes de figures, excepté la sienne ; peut-être même conforme-t-elle sa voix aux temps et aux circonstances jusqu'à ce qu'on la somme de redevenir elle-même. [125]

Eh ! Si nous n'avions que la charité pour guide, de combien de choses ne nous reposerions-nous pas sur la conscience des autres ! [126]

La moindre division dans les corps nous trouble et nous alarme,[127] et nous ne prenons aucun soin de rassembler les membres épars de la vérité, qui forment cependant la suture de toutes les scissions, la plus funeste de

---

123. Car « Dieu… est la Vérité. » (*Principe du Gouvernement de l'Église* 1 : 854)
124. Protée, dieu marin pourvu d'un don divinatoire qu'il n'exerce que lorsqu'il y est forcé : pour cela, il faut le surprendre pendant sa sieste, mais, enchaîné, il essaie de s'échapper en prenant des formes effrayantes ou insaisissables. Voir Virgile, *Les Géorgiques* IV, 387-452.
125. La vérité est-elle relative ?
126. Cette phrase, sortie de son contexte (long développement de Milton sur la Tolérance), ne trouve pas sa place.
127. Il s'agit des sectes protestantes dissidentes chez Milton ; des politiques chez Mirabeau.

toutes les ruptures. Est-il quelque chose qui d'abord ressemble plus à l'erreur qu'une vérité qui lutte contre des préjugés que le temps a consacrés ? On peut donc affirmer que la censure empêchera moins d'erreurs qu'elle ne proscrira de vérité. Pourquoi nous parler continuellement du danger des nouvelles opinions, puisque l'opinion la plus dangereuse est celle des personnes qui veulent qu'on ne pense et qu'on ne parle que par leur ordre ou par leur permission ? D'ailleurs, il ne faut pas croire que les erreurs et les fausses doctrines ne soient point nécessaires à l'économie morale du monde. Si tout à coup la vérité se présentait à nous dans tout son éclat, elle accablerait notre faiblesse, et nos yeux ne pourraient en soutenir le spectacle. L'erreur est le nuage qui s'interpose entre elle et nous, et qui, ne se dissipant que par degrés, nous prépare à recevoir le jour de la vérité. [128]

Enfin, les erreurs sont presque aussi communes dans les bons gouvernements que dans les mauvais. Car, quel est le magistrat dont la religion ne puisse être surprise, surtout si l'on met des entraves à la liberté de la presse ? Mais redresser promptement et volontairement les erreurs dans lesquelles on est tombé, et préférer au triste plaisir d'enchaîner les hommes, celui de les éclairer, c'est une vertu qui répond à la grandeur de vos actions, et à laquelle seuls peuvent prétendre les mortels les plus dignes et les plus sages.

[Tels sont les raisonnements victorieux auxquels l'Angleterre doit peut-être le bienfait de la liberté de la presse. [129] Voulez-vous savoir à quel point l'expérience y a confirmé la théorie et combien il est vrai que cette inappréciable liberté est non seulement le palladium de toutes les libertés, mais le phare du gouvernement ; écoutez ces paroles pleines de sens et de sagesse d'un penseur profond, [130] qui a étudié ce pays toute sa vie et donné, en peu de lignes, le résultat le plus lumineux que je connaisse

---

128. Le nuage de l'erreur est nécessaire puisque la vérité pure, que figure le soleil, est aveuglante.
129. La presse devint officiellement libre en 1695.
130. Il s'agit de Charles de Casaux, agronome, publiciste français, mort, à un âge avancé, en 1796. Membre de la Société royale de Londres ; membre de la Société d'Agriculture de Florence. Propriétaire à l'île de Grenade, il devient sujet de George III lors de la cession de l'île à l'Angleterre en 1763. Il demeure à Paris de 1788 à 1791. Après le 10 août 1792, il passe à Londres. Auteur notamment de deux essais sur la culture de la canne à sucre.

sur les véritables causes de la prospérité britannique. [131] Il faut le remettre sous les yeux du lecteur, ce fragment vraiment précieux ; car son auteur a trop présumé de nous en croyant qu'il serait assez remarqué au milieu d'une métaphysique très subtile et des calculs nécessairement un peu arides, par lesquels il a voulu l'appliquer. [132]

Ce n'est point l'habileté, dit M. de Casaux, [133] ce n'est point l'intégrité des ministres anglais qui font et qui assurent à jamais la prospérité de l'Angleterre, puisque l'Angleterre eut, comme tous les autres pays, beaucoup de ministres fort ordinaires et très peu d'immaculés.

Ce n'est point l'existence perpétuelle d'une opposition décidée, ouverte, sans crainte, intéressée à tout disputer aux ministres, [134] puisqu'il est possible que le ministère et l'opposition trouvent un plus grand intérêt à se réunir, puisque le fait a plus d'une fois constaté cette possibilité[135], et puisqu'il résulterait finalement de cette coalition l'oppression du peuple et l'esclavage du prince, qui suit toujours de bien près l'oppression du peuple.

Ce n'est point la liberté des voix dans les élections, puisque la très grande majorité des électeurs, sans talents et sans lumières, ne connaissent et ne peuvent connaître ni le caractère ni la capacité des candidats ;[136]

---

131. Explicitation du lien liberté intellectuelle / laissez-faire économique.

132. Le siècle des lumières, celui de Mirabeau, s'oppose au « siècle tout religieux, » celui de Milton.

133. Voir n. 16.

Mirabeau ignore le *copyright* : pour faire valoir ses arguments, il plagie Charles de Casaux, *Questions à examiner avant l'assemblée des États généraux,* pp. 58-65. Il s'agit d'un passage où le gouvernement de l'Angleterre est comparé à celui de la France. On retrouve, dans les deux pays, le ministre.

134. Le ministre, représentant le parti majoritaire à la Chambres des Communes, devait faire face à la minorité parlementaire.

(135) Cet étrange amalgame s'y désigne par le mot *coalition*.

NDR : « Cette » (accord féminin) dans l'original de Mirabeau.

136. Selon une loi du XVe siècle en vigueur jusqu'en 1832, l'électorat était constitué dans les comtés des propriétaires libres (*freeholders*) dont le domaine rapportait un revenu annuel d'au moins 40 shillings, somme dérisoire au début du XVIIe s. Dans les bourgs, le suffrage était variable : il pouvait appartenir, comme à Londres, aux seuls membres des compagnies de métiers (*freemen*), aux possesseurs d'une tenure selon les modalités d'usage que l'on a précisées ci-dessus ou aux citadins à condition qu'ils participent aux charges de la communauté urbaine; mais, le plus souvent, il revenait aux *aldermen*, groupe de notables de la ville réunis en conseil municipal.

puisqu'il est absurde de supposer une vraie liberté avec ce défaut de connaissance, et qu'ainsi, à parler strictement, il n'y a dans les élections en Angleterre ni voix ni liberté.

Ce n'est point la liberté des suffrages dans les deux chambres qui, cependant, réunissent tant de lumières et qui pourraient, conséquemment, réunir tant de voix, puisque la très grande majorité dans une chambre comme dans l'autre est toujours pour le ministère, jusqu'à l'instant qui précède celui où le ministère va changer, et qu'il est contre nature que le ministère ne se trompe jamais. [137]

Ce n'est point la distinction et l'indépendance respective des communes, des pairs et du roi jointes à la nécessité de leur accord pour former une loi quelconque : [138] on le prouve par trois raisons décisives.

Premièrement, dans un État où l'on ne trouverait ni noble ni roi, une assemblée unique y serait nécessairement composée d'hommes égaux, et cependant, il suffirait, pour y réunir tous les avantages de la législation anglaise, que cette assemblée d'hommes égaux se partageât en trois comités, dont le second ne s'occuperait d'une proposition qu'après qu'elle aurait été débattue et agréée dans le premier, et dont le troisième ne pourrait s'en saisir qu'après qu'elle aurait été agréée par les deux autres, ni lui donner force de loi qu'après que les deux premiers auraient agréé les changements qu'ils auraient déclaré, *après délibération*, adhérer à l'arrêté de deux autres tel qu'ils l'auraient reçu. Maintenant, si chacun des trois comités devenait à son tour le troisième, si chacun d'eux devenait à son tour le premier, quel avantage aurait sur cette organisation simple, l'organisation mixte si vantée de l'Angleterre, dont l'Amérique voulut trop, peut-être, se rapprocher. [139]

---

137. Ses projets de loi sont normalement approuvés par les Communes, où son parti est majoritaire ; ils sont ensuite ratifiées par le souverain.

138. Pour devenir loi, un projet, formé par le gouvernement du 1er ministre, doit suivre 3 étapes : approbation par les Communes ; validation, avec d'éventuels amendements, par les Lords ; ratification par le souverain.

139. Après son adoption par la Convention de Philadelphie le 17 septembre 1787, la Constitution américaine est établie le 21 juin 1788. L'organisation fédérale prévoit un Congrès, composé d'une chambre basse (la Chambre des Représentants - 65 membres) et d'une chambre haute (le Sénat - 26 membres) ; l'exécutif appartient au président. Le Congrès se réunit pour la première fois, à New York, le 4 mars 1789. Les 10 premiers amendements, notamment le 1er garantissant la liberté de la presse, sont votés le 25 septembre 1789.

Secondement, en supposant la monarchie la plus absolue et le ministre le plus décidé à *paraître prononcer sur tout*, il suffirait à ce ministre, pour réunir tous les avantages de la législation anglaise, de réunir, [par n'importe quel moyen,] [140] *avant de* [se] *prononcer sur quoi que ce soit*, toutes les connaissances qui existeraient dans 7 à 800 têtes pareilles à celles qui composent le corps législatif de cette fière nation. [141]

Enfin, on a vu plus d'une fois en Angleterre, le roi, la majorité des Pairs et celle des Communes se réunir sur des mesures qui eussent peu à peu et sourdement établi, dans ce pays de la liberté, une aristocratie terrible, finalement aussi funeste au prince qu'elle paraîtrait servir, qu'au peuple qui en serait la première victime. {Voyez l'affaire Wilks, [142] voyez celle de l'Amérique, [143] voyez celles de plusieurs *bills* relatifs à l'Inde, [144] et n'oubliez pas le dernier acte qui explique, dit-on, ce qui n'avait jamais été dit, et déclaré comme interprétation, le contraire de ce que tout le monde avait pensé, *tout le monde*, excepté le ministre qui s'était bien gardé de le dire.} [(145)]

Non, ce n'est point à ces moyens si vantés que l'Angleterre doit cette prospérité qui étonne, cette richesse qu'on envie, cette puissance encore capable de tout maintenir, quoiqu'elle eût maladroitement tenté de tout subjuguer. C'est à cette épée de Damoclès, partout en Angleterre suspendue

---

140. Fr. : L'original dit : « n'importe par quel moyen ; » Charles de Casaux dit « n'importe par quelle rubrique. » (*Questions…, op. cit.*, 61)

141. En 1788, à l'époque du roi Georges III (1760-1820), 558 députés siégeaient à la Chambre des Communes, 256 Lords à la Chambre des Lords, soit un total de 814 parlementaires, plus le roi, dans la mesure où il fait partie du Parlement.

142. John Wilkes, bien que député à la Chambre des Communes, fut arrêté pour la publication d'« un libelle séditieux, » l'édition du 23 avril 1763 de son journal *The North Briton* ; relaxé, il dut s'exiler. À son retour en 1768, il fut condamné à 22 mois de prison, plus une forte amende (£ 1,000). Il fut remis en liberté en 1770, mais la législation en vertu de laquelle il fut arrêté ne fut pas abolie.

143. William Pitt, premier ministre, se fit l'ardent défenseur des colonies : il ne voyait dans la guerre de Sept Ans (1776-83) qu'« une guerre injuste. »

144. Les projets de loi successifs sur l'Inde de Lord Frederick North (1773), d'Henry Dundas (1782), de Charles Fox (1783), devaient déboucher sur l'India Act de William Pitt (1784) : il créait une Commission de Contrôle pour gérer les intérêts britanniques en Inde. Ainsi le gouvernement affaiblissait-il d'autant la Compagnie des Indes, représentant les intérêts particuliers d'une caste aristocratique.

(145) {…} NDR : Ce paragraphe est rejeté en notes dans la traduction de Mirabeau. Le dernier point est une nouvelle allusion à la Loi sur l'Inde (1784)

sur la tête de quiconque méditerait, dans le secret de son cœur, quelque projet funeste au prince et au peuple; [146] l'épée tombe au premier pas qu'il fait pour l'exécuter. C'est à ce principe inculqué dans toutes les têtes anglaises que celle d'un seul homme ne renferme pas toutes les idées; que le meilleur avis ne peut être que celui qui résulte de la combinaison de tous; qu'il n'a besoin que d'être déclaré pour être senti et devenir aussitôt une propriété générale qui constate un droit égal à toutes les conséquences qui en dérivent; que celui qui craint de soumettre ses idées à la discussion de ceux dont elles doivent former la propriété, si elles sont utiles, est un ennemi public que chacun doit se hâter de dénoncer, et que béni doit être l'inconnu même qui le dénonce par la voix publique de l'impression. [147]

Enlevez à l'Angleterre l'unique moyen de conserver ce principe dans toute son énergie; enlevez-lui la liberté de la presse, liberté que chaque ministre, en Angleterre comme ailleurs, voudrait anéantir pendant son ministère et remplacer par un ordre absolu de se prosterner devant toutes ses bévues; enlevez, dis-je, à l'Angleterre, la liberté de la presse, et malgré toutes les ressources de son admirable constitution, les bévues ministérielles, si rares en Angleterre, s'y succéderont aussi rapidement qu'ailleurs: [148] et même, on y dormira plus tranquillement qu'ailleurs; d'abord sur les bévues ministérielles, et ensuite sur tous les attentats des ministres, [149] parce qu'on y sera plus rassuré par l'ombre d'une opposition qui ne tardera pas à réclamer secrètement et obtenir de la même manière *le partage des dépouilles et du prince et du peuple*; et bientôt la nation la plus florissante ne sera qu'un objet de pitié pour tous ceux dont elle excita l'envie et mérita l'admiration. Transportez, au contraire, peu à peu, la liberté de la presse en Turquie; [150] inventez, car il n'existe pas, inventez un moyen d'en faire parvenir les fruits jusqu'au grand Seigneur par d'autres mains que celles d'un vizir, *qui peuvent si aisément tout corrompre*, et bientôt nul vizir n'osera tromper son maître; tout vizir consultera la voix du

---

146. Renversement rhétorique : d'ennemie potentielle du pouvoir, la presse devient son plus sûr allié.
147. Dans *Questions…* (70-72), C. de Casaux défend la cause de l'écrit anonyme en Angleterre.
148. À cause des garde-fou que représentent les deux Chambres.
149. La tentation du despotisme, jadis l'apanage des rois, est aujourd'hui celle des ministres.
150. Archétype de la tyrannie.

peuple avant de faire tonner la sienne, et bientôt la Turquie, riche de toutes les facultés de son territoire et de son immense population, sera plus puissante, et non moins respectée, que cette Angleterre si puissante et si respectée aujourd'hui… [151]

Combien nous en sommes loin, avec tant de droits d'y prétendre, tant de moyens d'y parvenir ! [152]

O vous, qui bientôt représenterez les Français ; vous, qu'on n'eût jamais assemblés si dans la main des hommes, le malheur de semer le désordre et la ruine, et de rester sans pouvoir, ne suivait pas inévitablement le funeste pouvoir de tout faire ; vous, qu'on assemble pour tout regénérer parce que, s'il reste encore quelque chose à détruire, il ne reste plus d'hommes crédules à tromper ; vous, qui répondrez, non pas à la France seule, mais à l'humanité entière, de tout le bien que vous n'aurez pas procuré à votre patrie !… Tremblez, si semblable aux rois, ou plutôt à leurs ministres, vous croyez tout savoir ou pouvoir tout ignorer sans honte, parce que vous pourrez tout commander avec impunité. Obligés de tout savoir pour décider sur tout, quand l'Europe vous écoute, comment saurez-vous tout, si tous ne sont pas écoutés ? Comment saurez-vous tout, si un seul homme éclairé, le plus éclairé peut-être, mais le plus timide, croit se compromettre s'il ose parler ?… que la première de vos lois… la première !… Sans elle, la meilleure (si la meilleure pouvait exister sans elle) serait bientôt éludée ou violée, et tôt ou tard, elle seule assurerait la prospérité de l'empire français… Que la première de vos lois consacre à jamais la liberté de la presse, la liberté la plus inviolable, la plus illimitée : qu'elle imprime le sceau du mépris public sur le front de l'ignorant qui craindra les abus de cette liberté ; qu'elle dévoue à l'exécration universelle le scélérat qui feindra de les craindre… le misérable ! Il veut encore tout opprimer ; il en regrette les moyens ; il rugit dans son cœur de les voir échapper ! [153]

4 Décembre 1788,

---

151. L'Angleterre, fort puissante avec les débuts de la Révolution industrielle, maîtresse des océans, fait l'objet d'admiration. Elle déclare la guerre à la France en 1792.
152. Fin du plagiat de *Questions…*, de C. de Casaux.
153. Ce paragraphe est également repris dans C. de Casaux, *Quelques idées sur les grandes questions du moment (1788), 24-26.*

P. S. On imprimait cette feuille lorsque l'arrêté du Parlement de Paris, du 5 de ce mois, a paru : [154] et certes, c'est aujourd'hui que les bons citoyens doivent lui rendre grâce ; car si ce corps judiciaire et non politique est sorti du cercle de sa juridiction, [155] c'est du moins cette fois au profit de la nation, et la profession de foi qu'il publie, véritable programme de la déclaration des droits sur laquelle doit être fondée la liberté particulière et publique, est exempte enfin de toute ambiguïté.

Attachement aux anciennes formes sagement limité.

Représentation équitable clairement indiquée.

Doctrine des subsides invariablement posée.

Responsabilité des ministres, seule base de l'inviolable respect de l'autorité royale, nettement établie. [156]

Liberté individuelle des citoyens impérieusement réclamée.

---

154. Arrêté du Parlement de Paris du 5 décembre 1788 : Louis XVI est invité à « ne plus permettre aucun délai pour la tenue des États généraux ; » en outre, « il ne subsisterait aucun prétexte d'agitation dans les esprits, ni d'inquiétude parmi les ordres, s'il lui plaisait, en convoquant les États généraux, de déclarer et consacrer : Le retour périodique des États généraux ; / Leur droit d'hypothéquer aux créanciers de l'État des impôts déterminés ; / Leur obligation envers les peuples de n'accorder aucun autre subside qui ne soit défini pour la somme et pour le temps ; / Leur droit de fixer et d'assigner librement, sur les demandes dudit seigneur roi, les fonds de chaque département ; / La résolution dudit seigneur roi de concerter d'abord la suppression de tous impôts définitifs des ordres avec le seul qui les supporte ; ensuite leur remplacement avec les trois autres ordres par des subsides communs, également répartis ; / La responsabilité des ministres ; / Le droit des États généraux d'accuser et traduire devant les cours, dans tous les cas intéressant directement la nation entière, sans préjudice des droits du procureur général dans les mêmes cas ; / Les rapports des États généraux avec les cours souveraines, en telle sorte que les cours ne doivent ni ne puissent souffrir la levée d'aucun subside qui ne soit accordé, ni concourir à l'exécution d'aucune loi qui ne soit demandée ou consentie par les États généraux ; / La liberté individuelle des citoyens, par l'obligation de remettre immédiatement tout homme arrêté dans une prison royale entre les mains de ses juges naturels, / Et la liberté légitime de la presse, seule ressource prompte et certaine des gens de bien contre la licence des méchants, sauf à répondre des écrits répréhensibles après l'impression, suivant l'exigence des cas. »
Source : *Cahiers des États généraux*, dirigé par J. Mavidal & E. Laurent, Paris, Librairie administrative de Paul Dupont, 1868 ; Tome 1, pp. 550-51.
155. Le Parlement de Paris est la première cour suprême de justice du royaume.
156. Aucune remise en cause de la royauté.

Pouvoir législatif reconnu à la nation présidée par son roi.

LIBERTÉ DE LA PRESSE, garant unique, garant sacré de ces beaux droits ; LIBERTÉ DE LA PRESSE, SEULE RESSOURCE PROMPTE ET CERTAINE DES GENS DE BIEN CONTRE LES MÉCHANTS, [157] LIBERTÉ DE LA PRESSE énergiquement invoquée...

Voilà, voilà sans doute un grand bienfait ; voilà le drapeau de ralliement pour la nation ; [158] voilà le rameau de paix qui doit dissiper toutes les méfiances et réunir tous les vœux... Qu'ils s'abreuvent de leur propre venin, ceux qui espéraient ou intéresser les corps à repousser l'Assemblée nationale ou diviser les ordres et incendier les Provinces [assez] pour la rendre impossible : [159] nous aurons une Constitution puisque l'esprit public a fait de tels progrès, de telles conquêtes ; nous aurons une Constitution, peut-être même sans de grands troubles civils qui, après tout, valent mieux qu'un mauvais ordre légal ; nous aurons une Constitution,[160] et la France atteindra enfin au développement de ses hautes destinées.

---

157. Avec la restriction ci-dessus, n. 150.
158. Appel à l'union.
159. C'est le thème du complot.
160. La Constitution, largement inspirée de la Déclaration des droits de l'homme et du citoyen du 26 août 1789, est votée le 3 septembre 1791.

DÉFENSE
DU PEUPLE ANGLAIS,
SUR LE JUGEMENT
ET LA CONDAMNATION
DE CHARLES PREMIER,
ROI D'ANGLETERRE,

Par MILTON.
Ouvrage propre à éclairer sur la circonstance
actuelle où se trouve la France. [1]

Réimprimé aux frais des Administrateurs
du Département de la Drôme.

A VALENCE,
Chez P. AUREL, Imprimeur du Département
de la Drôme.

1792

---

1. Le parallèle avec la Révolution anglaise, son tournant (1649 : l'exécution de Charles 1er à la suite d'un procès historique) est immédiatement mis en avant : la France révolutionnaire doit s'inspirer de l'exemple Outre-Manche.

****

AVIS PRÉLIMINAIRE

EN 1649, Charles premier porta sa tête sur l'échafaud, d'après le jugement rendu contre lui par le Parlement d'Angleterre. [2]

Cet acte de justice national inouï dans l'histoire moderne [3] fit accuser les Anglais de parricide ; un pédant originaire de France, mais pensionnaire d'une république, où il était professeur, *Saumaise,* essaya de justifier Charles des crimes qu'on lui imputait, et ne craignit pas de faire le procès à toute une nation dans une diatribe intitulée : *defensio Regia* (*Défense pour le Roi*).

Milton répondit vigoureusement à cette plate production ; [4] il prouva qu'il était aussi profond politique que grand poète, dans l'ouvrage qu'on réimprime aujourd'hui, et qui parut alors sous le titre de *defensio pro Populo Anglicano* (*Apologie du Peuple anglais*).

Les Parlements de Paris et de Toulouse lui firent l'honneur de le brûler ; [5] en 1789, Mirabeau le ressuscita de ses cendres et le traduisit en notre langue ; la cour en fit enlever presque tous les exemplaires ; elle redoutait un ouvrage qui tue les rois, en les rabaissant à leur véritable niveau, celui de mandataire des peuples.

****

ARRÊTÉ
DU CONSEIL DU DÉPARTEMENT
DE LA DROME
EN PERMANENCE

SÉANCE publique du 14 novembre 1792, l'an premier de la République.

---

2. Il ne s'agit pas du Parlement, mais d'une Haute Cour de Justice de 69 membres désignés par le *Parlement Croupion*, duquel 143 députés (sur 507) avaient été évincés le 6 décembre 1648. Les 124 Lords, écartés de fait du législatif, n'eurent pas leur mot à dire.
3. C'est la première fois, en effet, que l'on jugeait un roi.
4. L'ouvrage fit grand bruit par son érudition.
5. En 1660.

Milton, Mirabeau : rencontre révolutionnaire

Présents : Antoine Melleret, *Président ;* Bossan, Duclos, Tiron, Ferriolat, Lermy, Lambert, Bernard, Bellier, Faure, Vernet, Caudeiron, Ithier, Blanchard, Lariviere, Archinard, Long de Gigors, Germigny, Armand, Chancel, Algoud, Craponne-Duvillard, Laget, Romieu, Viot, Bergier, Payan, Martin, Ayme, Bés, *Administrateurs, et* Payan, *Procureur-Général-Syndic.*

Des pétitionnaires se sont présentés au conseil et ont demandé que l'administration fît réimprimer l'écrit intitulé : *Doctrine de Milton, sur la Royauté* ; ils ont déposé sur le bureau un exemplaire de cet ouvrage et leur pétition motivée.

Lecture faite de plusieurs fragments de cet écrit et la matière mise en discussion ;

Le conseil considérant que l'ouvrage de Milton établit et développe, avec autant de clarté que de solidité, les droits imprescriptibles de la souveraineté de tous les peuples ; [6]

Que le génie qui l'a produit embrase tous les cœurs du feu sacré de la liberté, qu'il présente des idées justes et saines de la royauté, qu'il combat victorieusement les prétentions ridicules et barbares de ces hommes criminels qui, tenant leurs pouvoirs de l'ignorance ou de la faiblesse des peuples, veulent s'élever au-dessus de la loi et refusent de courber leurs têtes coupables sous son glaive ; qu'il démontre aux partisans de l'inviolabilité des rois que, dans tous les temps et chez toutes les nations, leurs crimes ont été expiés par l'échafaud ; qu'il est du devoir des administrateurs de former et de mûrir l'opinion publique sur la grande question qui s'agite à la Convention nationale pour le jugement de Louis Capet ******* ; [7] que l'Administration est sûre de remplir cet objet essentiel en répandant, surtout dans les campagnes, la connaissance d'un livre devenu très rare, et par la lecture duquel tout Français républicain pourra démêler avec sagacité les rapports et l'analogie qui existent entre la conduite de Charles Stuart et celle de Louis Capet. [8]

---

6. Et non du seul peuple anglais. L'ouvrage a une portée quasi-universelle puisque Milton y affirmait la souveraineté des peuples *chrétiens*.

7. Ce passage a été biffé au crayon noir : « (…) lequel doit être présenté à la sanction du Peuple. »

8. L'objectif de la réimpression du livre de Milton est clairement posé. À noter qu'il s'agit de rallier les gens des campagnes, traditionnellement fidèles au roi, à l'opinion des gens éclairés des villes.

Le Procureur-Général-Syndic [ayant] ouï, arrête que le livre in-8.° : *Doctrine de Milton sur la royauté, d'après l'ouvrage intitulé Défense du Peuple anglais,* contenant dix chapitres et 96 pages, sera réimprimé au nombre de mille exemplaires aux frais des administrateurs présents à la séance, qu'il sera précédé d'un appendice sommaire sur l'origine de cet écrit, les noms et le caractère de son auteur et de l'interlocuteur, que des exemplaires en seront adressés à toutes les Communes du ressort, aux 82 Départements, au Conseil exécutif provisoire et à la Convention Nationale qui sera invitée à en ordonner la réimpression dans toute l'étendue de la République. [9]

Signé :   MELLERET, *Président* ;
                                                 REGNARD, *Secrétaire*.

---

9. L'ouvrage est bien d'envergure nationale.

DÉFENSE
DU PEUPLE ANGLAIS,
SUR LE JUGEMENT
Et la condamnation
DE CHARLES PREMIER,
ROI D'ANGLETERRE

****

CHAPITRE PREMIER[10]

AVEZ-VOUS cru, SAUMAISE, qu'en donnant continuellement aux rois le nom de pères des peuples, vous nous persuaderiez qu'il n'est point de différence entre un père et un roi ? Qu'a de commun la qualité de père avec celle de roi ? Chacun de nous doit son existence à son père ; notre roi nous doit la sienne ; la nature nous a donné des pères à tous ; c'est nous-mêmes qui nous sommes donnés des rois ; les rois appartiennent donc aux peuples, et les peuples n'appartiennent point aux rois.

Cependant, fussent-ils des pères en effet, qu'en résulterait-il ? *Nous sommes tenus*, ce sont vos paroles, *de supporter la mauvaise humeur et la sévérité d'un père* ; eh bien ! Nous en agissons de même avec un roi. Mais si un père, quelle que soit l'étendue de son pouvoir, tue son fils, les lois le condamnent à périr : pourquoi n'en serait-il pas de même d'un roi ? Pourquoi ne se soumettrait-on pas à la plus juste de toutes les lois ? Cette prérogative serait d'autant plus monstrueuse qu'on ne peut pas se dépouiller

---

10. Mirabeau a supprimé la préface.

97

de la qualité de père ; mais un roi peut abdiquer quand il lui plaît ; il ne tient qu'à lui de n'être ni le roi ni le père de sa nation.[11]

Maintenant, si nous considérons ce qui vient de se passer dans cette île ; moi, Anglais, et témoin oculaire de cet événement mémorable, [12] je vous dirai, à vous étranger, [13] et qui le prouvez si bien par la manière dont vous parlez de nos affaires politiques, je vous dirai que nous n'avons pas fait périr un roi, mais que nous avons fait justice d'un ennemi ; [14] d'un ennemi qui, pendant dix années consécutives, ne travailla qu'à mériter son supplice ; je vous dirai que nous n'avons point versé le sang du père, mais du destructeur de sa patrie. Niez, si vous l'osez, qu'une nation ait le droit de déposer et de punir son tyran. [15]

Plusieurs souverains, dites-vous, *ont péri d'une mort violente, les uns par le fer, d'autres par le poison ; mais ces exemples sont bien moins déplorables que celui d'un roi traduit devant ses juges, et qui subit l'arrêt de mort qu'on a prononcé contre lui.*

Quoi ! Le vœu de toutes les institutions sociales n'est-il pas qu'un

---

11. Mirabeau commence par démystifier l'analogie roi / père de son peuple. Il reprend 3 arguments avancés par Milton :
1. Si le père engendre ses enfants, le roi est engendré par le peuple (à noter qu'à l'époque, la femme n'a qu'un rôle secondaire dans la procréation : elle ne fait que donner la forme) ;
2. Un père ne saurait tuer ses enfants dans l'impunité, contrairement à ce que prévoyait la loi romaine ;
3. Enfin, le roi peut renoncer à son titre de roi ou analogiquement de « père de la nation » alors qu'un père de famille reste un père.
12. Ceci donne une intensité dramatique au passage. Milton ne dit jamais qu'il a été témoin de la scène. Il dit seulement qu'il connaît les évènements ayant précipité la chute de Charles Ier.
13. Cet événement ne regarde que les Anglais : Saumaise est « un grand fouineur » (*CPW* 4 : 366) ; pourtant, Milton dit bien qu'il s'agit d'une œuvre susceptible d'éclairer l'humanité entière.
14. Mise au point : Milton est seulement *tyrannicide*. Cf. *La manière prompte & facile d'établir une libre République* (1660) : « la monarchie en elle-même peut convenir à certaines nations, mais pour nous qui l'avons rejetée, la reprendre ne peut que s'avérer pernicieux. » (7 : 377-78 ; 449).
15. Omission d'un passage citant l'exemple de Marie Ire Stuart (1542-87), reine d'Ecosse (jusqu'en 1567), reine de France (1559-60), grand-mère de Charles Ier. Sa cousine, Élisabeth, reine d'Angleterre (1558-1603), la fit exécuter parce qu'elle représentait une menace catholique pour le royaume.

criminel, quel que soit son délit, paraisse devant ses juges ? Qu'il y parle pour sa défense ? Que s'il a mérité la mort, on ne l'exécute qu'après que les lois l'ont condamné ? Serait-il plus conforme à la justice, à l'humanité de l'immoler aussitôt qu'on s'est emparé de lui ? Pensez-vous qu'il y ait un seul malfaiteur qui, libre de choisir, hésitât à donner la préférence aux formes légales ? Pourquoi la voie la plus légitime de procéder contre un particulier ne le serait-elle plus lorsqu'il s'agit d'un prince ? Voudriez-vous qu'on l'eût fait périr en secret afin qu'on travestît du nom d'assassinat la juste vengeance d'une grande nation ; que tout le fruit d'un aussi rare exemple fût perdu pour la postérité, ou que ceux à qui la gloire en appartient semblassent avoir fui la lumière et outragé clandestinement la justice et les lois ?

Eh ! N'avez-vous donc pas senti le tort que vous faisiez à votre cause, en avouant que *cet événement ne fut point l'effet d'une faction parmi les grands ni d'une sédition parmi*[16] *le peuple ; que la haine, la crainte, l'ambition n'y eurent aucune part, et qu'on ne se détermina qu'après une longue et mûre délibération ?* Si l'acte en lui-même est digne d'éloges, ses auteurs n'en sont que plus recommandables puisque, n'étant mûs d'aucune passion, ils ont tout fait par amour de la vertu.[17] Pour moi, lorsque toutes les circonstances de cette révolution[18] me reviennent à la mémoire, lorsque je me rappelle la fervente unanimité de l'armée et de la plus grande partie du peuple des différents comtés du royaume,[19] qui s'écrièrent à l'envi : *faites justice d'un roi auteur de toutes nos misères,* j'y reconnais une impulsion divine soit du côté des magistrats, soit du côté de la nation ; jamais les hommes ne se portèrent avec plus de courage, ni, de l'aveu même de nos adversaires, avec plus de réflexion, à un acte digne des héros des premiers âges, et qui rappelle mieux les lois à leur véritable institution, c'est-à-dire à ne faire acception de personne.

Toutefois, combien de ménagements n'avons-nous pas employés envers le coupable ! Les droits réclamés au commencement de la guerre,

---

16. L'original dit : « parmi les soldats ou… ».
17. Tout compromis était impossible.
18. Le terme *révolution* est plus tardif.
19. C'est faux. Il y avait quelque division au sein de l'Armée : les vœux des simples soldats différaient de ceux des officiers supérieurs ; d'autre part, seule une minorité d'Anglais (les Indépendants) eut la détermination d'aller jusqu'au bout de la logique révolutionnaire.

et sans lesquels il n'y avait plus, pour nous, ni liberté ni sûreté ; ces mêmes droits, lorsqu'il a été notre prisonnier, nous les lui avons demandés de la manière la plus humble, la plus soumise. Ce n'est qu'après avoir épuisé toutes les démarches et tous les refus qu'on a pris la résolution de mettre un terme à cette négociation. Enfin, si tous les liens qui nous unissaient à lui ont été brisés, ce n'est pas lorsqu'il a commencé d'être notre tyran, mais lorsque nous avons reconnu l'impossibilité de le rendre meilleur. [20]

****

CHAPITRE II[21]

Vous définissez le roi [comme] *un être en qui réside le souverain pouvoir, qui n'est responsable qu'à Dieu de toutes ses actions, qui peut faire ce qui lui plaît, et qui n'est soumis à aucune loi.*

Eh bien ! *Saumaise*, je vais vous démontrer, non par mes propres raisonnements, mais par les vôtres et par les autorités que vous citez, qu'aucune nation ne reconnut jamais à ses rois une aussi étrange prérogative. Eh ! Quel autre, en effet, qu'un écrivain vendu au despotisme, aurait l'âme assez servile pour établir les droits de la royauté sur les excès de la tyrannie ? Cette doctrine est évidemment l'opprobre de la servitude ; car, s'il est permis à un roi de faire tout ce qui lui plaît, il n'en est aucun qui mérite le nom de tyran, il n'a qu'usé de ses droits. Il peut impunément violer toutes les lois divines et humaines, jamais il ne sera coupable ; il n'est point d'abomination à laquelle il ne puisse légitimement se livrer. Et l'on osera soutenir que ce *prétendu droit des rois est fondé sur la loi des nations, ou plutôt sur celle de la nature !* Est-ce donc une brute qui parle et qui vient nous apporter le code des tigres ? Comment honorer du nom d'homme celui qui fait tout ce qui est en son pouvoir pour dégrader, pour avilir l'espèce humaine ? Celui qui calomnie la nature au point de soutenir que cette mère tendre ait voulu que nous fussions la propriété des tyrans ? Doctrine impie, qui ne tend pas seulement à rendre ces derniers plus féroces et plus oppresseurs, mais à [les] persuader qu'ils en ont le droit ;

---

20. L'original dit : « lorsqu'il devint incurable. » Les Parlementaires figurent le médecin au chevet d'un patient, qu'ils doivent soigner, ramener à la raison.
21. Ce chapitre ouvre le dossier du droit des rois.

que ce droit résulte des lois de la nature et de celles de la société ! [22] Une opinion plus absurde et plus monstrueuse est-elle jamais sortie de la bouche des hommes ?

Mais examinons de plus près ce droit des rois *qui a reçu,* dites-vous, *la sanction des quatre parties du monde.* [23]

Il n'a existé que très peu de nations assez courageuses pour ambitionner la liberté, ou assez sages pour la mettre à profit : presque toutes ont eu des monarques, mais elles ont voulu qu'ils fussent équitables : lorsqu'ils ont abandonné la justice pour être despotes, Dieu n'a pas été assez ennemi de l'espèce humaine pour la courber sous la nécessité de se soumettre à leur tyrannie [24] ; ni aucune nation assez insensée pour s'imposer à elle-même et à ses descendants la plus absurde, la plus inique, la plus cruelle de toutes les lois.

Vous nous citez un passage de Salomon ; [25] loin de récuser le témoignage de l'Écriture, nous l'invoquerons nous-mêmes ; mais écoutons d'abord la parole de Dieu. Nous lisons dans le Deutéronome [(26)] : *lorsque vous serez dans la terre que le seigneur, votre Dieu, vous a donnée, et que vous direz : établissons un roi comme les nations voisines.*

Que les hommes méditent ces paroles : n'est-il pas évident, par le témoignage de Dieu même, que toutes les nations ont le droit de se choisir la forme de gouvernement qui leur semble préférable, de la changer et de la modifier à leur gré ? Dieu le déclare expressément aux Hébreux, et les autres nations n'en sont pas exceptées. Observez encore que, dans l'opinion même de Dieu, le gouvernement républicain est plus parfait et plus approprié à la nature de l'homme que le gouvernement monarchique ; car Dieu l'a institué lui-même pour son peuple, et ce n'est qu'après bien des prières et avec une sorte de répugnance qu'il lui a permis d'abandonner le premier pour adopter l'autre. [27]

---

22. Intéressant rapprochement loi de nature / lois politiques d'un pays.
23. L'original dit : « de l'est comme de l'ouest », c.-à-d. principalement des pays asiatiques et d'Israël.
24. Les protestants, y compris Milton, pensent néanmoins que Dieu envoyait les Tyrans pour gouverner les nations impies.
25. *Ecclésiaste* 8 : 2-4.
26. 17. 14.
27. Voir *I Samuel 8*. Les Anciens d'Israël viennent trouver Samuel pour lui dire qu'ils ne souhaitent plus être gouvernés par un juge (Samuel ou ses fils), mais par un roi.

Mais afin de donner à connaître qu'en leur laissant la liberté de choisir le régime qui leur plairait le mieux, il entendait néanmoins que ce régime fût toujours fondé sur la justice, il voulut que s'ils élisaient un prince, ce prince fût soumis à des lois, et il les prescrivit lui-même. Il était défendu au roi *d'accumuler une trop grande quantité de richesse et de multiplier le nombre de ses chevaux et de ses femmes* : obligé dans ses actions personnelles de se conformer à des lois, comment aurait-il eu un pouvoir absolu sur les autres hommes ? Il lui était enjoint de *transcrire de sa propre main* tous les préceptes de la loi et de les observer, *afin qu'il ne se crût pas supérieur à ses frères.* [28] Ainsi, relativement à l'obéissance aux lois, il n'y avait pas de différence entre le roi et son peuple ; Dieu l'a dit : *les rois et leurs sujets sont frères.*

Tel est le sentiment de Joseph, ce digne interprète du code de sa nation, *le gouvernement républicain est le meilleur*, dit-il [(29)], *n'en demandez pas d'autres ; car c'est assez d'être soumis à Dieu. Cependant, si vous êtes possédés de la manie d'avoir un roi, qu'il se conduise par la loi de Dieu plutôt que par sa propre sagesse, et sachez le réprimer s'il aspire à devenir plus puissant qu'il ne doit être.*

De même Philon, contemporain de Joseph, et profondément versé dans la loi de Moïse [(30)], dit au livre de l'institution d'un roi : *le devoir du prince n'est pas seulement de commander ; il doit encore obéir.* Et ailleurs : *ceux qui acquièrent une grande puissance au préjudice de l'État et au détriment du peuple ne méritent pas le titre de roi, mais le nom d'ennemis, car leur conduite est la même. Bien plus, ceux qui nuisent, sous prétexte de gouverner, sont pires que des ennemis déclarés, parce qu'on peut se prémunir contre ceux-ci, tandis qu'il n'est pas toujours aisé de dévoiler la malice des autres…* [31] Quand cette malice est connue, pourquoi ne les traiterait-on pas comme de véritables ennemis ?

Dieu accède à leur demande, mais il dit à Samuel : « Ce n'est pas toi qu'ils rejettent, c'est moi. Ils ne veulent plus que je règne sur eux. » (*I S 8*, 7).

28. *Deutéronome* 17, 16-20.

29. 4e. livre des Antiquités Judaïques. NDR : Flavius Josèphe, *Histoire ancienne des Juifs*, Trad. par Arnauld d'Andilly, Paris, éd. Lidis, 1968 ; IV, § 223. Il écrit en fait que le meilleur gouvernement est aristocratique – celui des *Juges* ou *sophet*.

30. Sur laquelle il nous a laissé un long Commentaire. NDR : voir Philon d'Alexandrie, *Legum allegoriae* III, 79-80 (Trad. par Claude Mondésert, Paris, éd. du Cerf, 1962) ; *De specialibus legibus* IV, 185 (Trad. André Mosès, Paris, éd. du Cerf, 1970).

31. Cependant Philon d'Alexandrie pense que la royauté est d'origine divine, que

Mais, direz-vous peut-être, que pourrait-on conclure même de ce *principe,* un roi doit observer les lois comme le dernier de ses sujets, je le veux : cependant, s'il ne le fait pas, d'après quelle loi pourra-t-on le punir ?…

Je réponds : d'après celle qui condamne les autres hommes ; car je n'y trouve aucune exception. On n'a pas fait un code pénal exprès pour les prêtres ni pour les magistrats. S'il était reçu qu'un roi ne peut pas être puni lorsqu'il devient coupable, parce qu'il n'existe pas de loi positive qui le condamne, les magistrats et les prêtres pourraient également réclamer le privilège de l'impunité pour toutes sortes de crimes. Les rois sont donc incontestablement, d'après le texte sacré, soumis aux lois comme les autres hommes ; et *ils ne doivent pas se croire supérieurs à leurs frères.*

Cependant, on assure que Salomon prêche une autre doctrine : *obéissez aux ordres de votre roi,* dit-il, *car il fait ce qui lui plaît : où est la parole du roi, là est le pouvoir ; et qui peut dire : que faites-vous* (32) *?*

Mais Samuel ne se borne pas à dire au roi : *que faites-vous ?* Il lui dit encore : *vous avez agi follement.*[33] Qu'est-ce donc que le précepte de Salomon ? Un avis sage qu'il donne aux particuliers d'éviter tous démêlés avec les princes. Sans doute, il est toujours dangereux, pour de simples citoyens, d'avoir à leur disputer. Mais faudra-t-il que toute une nation n'ose élever la voix lorsqu'un roi la menace de sa ruine ? Le laissera-t-elle paisiblement fouler aux pieds les lois divines et humaines ? Attenter à la vie des citoyens ? Brûler les villes et commettre tous les excès de la plus effroyable tyrannie ? [34]

Ce prétendu droit des rois, que vous cherchez à établir pour le malheur des hommes, ne provient pas de Dieu : il a plutôt une origine infernale ; le devoir de l'espèce humaine est de s'y soustraire, et non de s'y résigner ; et c'est bien ici qu'on peut dire avec l'orateur de Rome(35), dont

---

le roi est le vicaire de Dieu sur terre, et qu'il n'est soumis qu'à la loi divine ou naturelle.

32. Eccl. ch. 8, v. 2. Ce passage, dit Milton, ne regarde ni le Sanhedrin, ni la totalité de la nation, mais seulement les particuliers.

33. *I Samuel* 13, 13.

34. Omission de Virgile, Aristote, Sulpice Sévère ou Salluste, lesquels prouvent qu'Israël ne souhaitait pas opter pour la monarchie des peuples barbares : *CPW* 4 : 347-49.

35. 4e. Philippique. NDR : Il s'agit en fait de Cicéron, *VIIIe Philippique* 4 : 12.

vous ne rougissez pas d'attester le sentiment : « quoi de plus juste qu'une guerre entreprise pour échapper à l'esclavage ? Car bien qu'un peuple ait le bonheur de vivre sous un bon roi, s'il est libre à ce roi de devenir méchant, la condition du peuple est déplorable. »

Voilà, voilà ce qu'a dit la raison humaine imprimée de la main de Dieu dans tous les pays et dans tous les âges. Eh ! Que nous fait après tout le gouvernement des Israélites ou l'espèce de pouvoir qu'ils attribuèrent à leur souverain ?[36] S'obstine-t-on à croire qu'ils aient voulu que leurs princes fussent au-dessus des lois, eux qui ne purent supporter la domination des enfants de Samuel, et qui les déposèrent à cause de leur avarice ? Que nous importe, quand nous savons que Dieu est irrité contre eux, uniquement parce qu'ils demandèrent un roi ; que nous importe, quand Dieu, qui nous donna le désir et les moyens d'être heureux, plaça dans la tyrannie la source de tous les maux ![37] Soutiendra-t-on que le droit de nous en défendre cesse devant ce mot ROI ? Que la république soit pillée, dévorée ou asservie par son prince, souffre-t-elle moins de dommage que si elle l'était par un brigand ou par des ennemis du dehors ? Faudra-t-il mettre en question s'il est permis de repousser et de punir les ennemis de la société, quels qu'ils soient ? Enfin, n'est-on pas plus fondé à faire justice d'un prince qui, comblé d'honneurs par le peuple, a proféré le serment de veiller à son salut, et qui néanmoins trahit indignement le plus saint des devoirs ?

Vous multiplierez en vain les citations de l'Écriture [38] pour établir de tels principes ; il faudrait changer la nature de l'âme humaine pour les faire adopter. Si Dieu fut sourd aux prières des Juifs, s'il refusa de les délivrer de la domination des rois, c'était pour les punir de s'y être soumis contre sa volonté : cependant, il ne leur défendit ni de lui adresser des prières contre leur roi ni de s'en affranchir par leurs propres efforts. Quant à nous, qui n'avons jamais demandé de roi contre la volonté de Dieu, et à qui Dieu n'en donna jamais, mais qui, d'après nos lois, en avons établi un conformément aux droits qu'ont toutes les nations de se choisir leurs chefs, pourquoi ne nous applaudirait-on pas d'avoir proscrit la royauté puisque les Israélites péchèrent en la demandant ? Ou plutôt : nous avions

---

36. Le Chrétien n'a rien à voir avec le Juif.
37. Cette expression ne figure pas chez Milton.
38. L'original dit : « Vous en venez ensuite aux rabbins… »

un roi ; nous avons adressé nos prières à Dieu contre lui ; et la toute puissance divine a permis que nous en fussions délivrés.[39]

Les rois ne tiennent leur autorité que de Dieu seul : [40] voilà vos paroles, Saumaise, et le cri de ralliement de tous les apôtres de la tyrannie. Mais nommez-les donc ces rois qui ne tiennent leur autorité que de Dieu ? Où en a-t-il existé de cette nature ? Saül, le premier roi d'Israël, n'aurait jamais régné si le peuple n'eut désiré d'avoir un roi, même contre la volonté de Dieu ; et proclamé à *Mizpah*, il continua de vivre en simple particulier, gardant les troupeaux de son père, jusqu'à ce que le peuple l'eût élu une seconde fois à *Gilgal*.[41] David, quoiqu'il eût reçu l'oint du Seigneur, ne fallut-il pas qu'il fût reconnu par le peuple, et qu'il se soumît à un pacte respectif ?[42] Vous dites vous-même que *Salomon lui succéda sur le trône de Dieu et qu'il fut agréable à tous* :[43] l'agrément du peuple était donc compté pour quelque chose. Mais si ces rois, et tous ceux de la postérité de David, régnèrent à la fois par la grâce de Dieu et par celle du peuple, les autres, de quelque nation et de quelque pays qu'on les suppose, n'ont été rois que par la volonté du peuple. La providence ne s'en est mêlée que comme de toutes les affaires de ce monde, grandes et petites, sur lesquelles sa vigilance est continuelle. Nous pourrions dire, à aussi juste titre, que nous ne dépendons que de Dieu puisque nous sommes également ses enfants. Ceci ne porte donc aucune atteinte aux droits des peuples : et puisque les rois tiennent leur souveraineté de ces mêmes peuples, il est de toute justice qu'ils leur rendent compte de l'usage qu'ils en font.

Si les rois tiennent leur couronne de Dieu, les peuples tiennent de Dieu leur liberté, car toutes choses proviennent de lui. C'est dans ce sens que l'Écriture nous dit : *Dieu place les rois sur le trône et les en fait descendre.*[44] Eh ! Le peuple, en effet, n'est-il pas la cause de leur élévation

---

39. Milton retourne la situation à son avantage. L'Angleterre, nation élue par Dieu, fait mieux que Son ancien peuple, les Israélites.
40. *Épître aux Romains* 13, 1 : « Tout pouvoir vient de Dieu… »
41. Choisi par Dieu, ovationné à Miçpa (*Ier Livre de Samuel* 10, 24), Saül ne deviendra effectivement roi que lorsqu'il aura été une seconde fois consacré à Guilgal par le peuple. (Id., 11, 15)
42. À Hébron, David devient roi en vertu d'une alliance qu'il octroie devant le Seigneur aux Anciens d'Israël (*IIe Livre de Samuel* 5, 3 ; *Ier Livre des Chroniques* 11, 3)
43. *Ier Livre des Chroniques* 29, 23.
44. Caractères normaux chez Milton ; il s'agit d'une allusion biblique à *Luc* 1, 52.

et de leur chute? Les droits des peuples n'émanent donc pas moins de Dieu que ceux des monarques : lorsqu'une nation s'est donnée un roi sans l'entremise expresse de la divinité, elle a le droit de le déposer, comme elle eut celui de l'établir. Eh! N'est-il donc pas plus divin de détrôner un tyran que de le proclamer? Sans doute, Dieu se manifeste bien plus dans un peuple qui dépose un souverain inique que dans un monarque qui opprime un peuple innocent. Dieu lui-même a autorisé le peuple à juger les mauvais princes puisqu'il lui accorde[45] *d'enchaîner les rois des nations,* ce qui, dans le langage de l'évangile, désigne les tyrans, et *d'exercer un droit sur ceux qui se glorifient de ne reconnaître aucune loi.* Comment donc se prêter à cette opinion extravagante et impie qui veut que les rois, c'est-à-dire communément les mortels les plus indignes[46], jouissent d'une assez grande faveur auprès du tout-puissant pour qu'il ait soumis le monde à leurs caprices, et que, par égard pour eux seuls, Dieu ait voulu que l'espèce humaine fût réduite à la condition des bêtes? [47]

****

CHAPITRE III

APRÈS avoir suffisamment prouvé que les rois des Juifs étaient soumis aux mêmes lois que le peuple; que l'Écriture ne contient aucune exception en leur faveur; que la raison et les autorités réprouvent *également* cette maxime monstrueuse que les rois peuvent impunément faire tout ce qui leur plaît, et que Dieu les a soustraits à toute juridiction humaine pour ne les soumettre qu'à son propre tribunal – voyons si l'évangile a con-

---

45. Ps. 149. NDR : *Psaume 149, 8.*
46. The worst of man.
47. Omission des pp. 25-33 (*CPW* 4 : 359-73). Celles-ci évoquaient notamment *Ps* 51,4 (David refusant de porter la main sur le roi Saül parce qu'il est « l'oint du Seigneur »), des fragments du livre de Saumaise *De primatu* pour prouver qu'il est son propre contradicteur, deux comparaisons (l'une avérée, Christ / Moïse, l'autre erronée, Charles Ier / Salomon), *Dt* 17, 14-20, l'assassinat d'Abimélech (*Juges* 9, 53-54)). Mirabeau aurait pu reprendre l'idée miltonienne : « Là où il y a de nombreux égaux, je dis qu'ils doivent également gouverner, chacun à leur tour. » (*CPW* 4 : 366-67).

sacré d'autres principes, et s'il est vrai qu'elle [48] nous prêche une servitude réprouvée par l'ancienne loi.

Vous tirez votre premier raisonnement de la personne même du Christ.
Mais hélas! Qui ne sait que, pour opérer le mystère de notre rédemption,
il a voulu se réduire non seulement à la simple condition de particulier,
mais encore à celle d'esclave? [49] Et son but n'était pas uniquement de nous
affranchir de l'esclavage du péché; autrement, que signifierait ce passage du cantique de sa mère, où il est dit qu'il est venu dans le monde *pour
détrôner les puissants et pour élever les humbles?*[50] Quel rapport ces
expressions auraient-elles à la venue du messie s'il n'était effectivement
arrivé que pour établir ou renforcer le gouvernement tyrannique, et faire
à tous les chrétiens un devoir de la servitude? *Rendez,* dit-il, *à César ce
qui appartient à César, et à Dieu ce qui appartient à Dieu.*[51] Ce précepte
ne renferme-t-il pas implicitement celui de rendre au peuple ce qui appartient au peuple? *Rendez à tous ce que vous leur devez,* dit Saint-Paul.[52]
On ne doit donc pas tout à César : notre liberté n'est pas la propriété de
César puisqu'elle est un bienfait du ciel; la déposer aux pieds de César,
ce serait la profaner indignement, ce serait commettre un véritable sacrilège. Mais voyons quelle était la doctrine du Christ.

Les enfants de *Zébedée* ambitionnent un pouvoir éminent dans son
royaume, dont ils se figurent que l'établissement ne tardera pas. J.-C. les
réprimande et fait connaître à tous les chrétiens l'espèce de gouvernement qu'il désire voir instituer parmi eux. *Vous savez,* dit-il, *que les gentils sont soumis à la domination des princes et à l'autorité des grands. Il
n'en sera pas de même parmi vous : quiconque voudra s'agrandir, qu'il
soit votre ministre; et quiconque voudrait être votre chef, qu'il soit votre
serviteur.*[53]

---

48. Évangile : « le genre d'évangile a été longtemps féminin. » (Littré). Il l'était au
XVIIe siècle.
49. Voir *Philippiens* 2, 13.
50. *Luc* 1, 51-52. Omission de *I Corinthiens* 7, 21-23 : "Quelqu'un a payé le prix
de votre rachat : ne devenez pas esclaves des hommes." Ce passage dit que l'homme,
appelé par Dieu, devient « esclave du Christ »; pour Milton, il prouvait que Christ
conférait une liberté *également* politique.
51. *Matthieu* 22, 15-21, sur le tribut dû à César.
52. Dans la 13e. Épitre aux Romains. NDR : verset 7.
53. *Matthieu* 20, 25-27.

Quoi ! Saumaise ! Sur de pareils fondements, vous croyez nous persuader que nos rois sont les maîtres absolus de nous et de nos biens !
C'est ainsi que la réfutation de votre doctrine se trouve presque toujours
dans les autorités même que vous attestez. Les Israélites demandaient un
roi *comme les autres nations.* Dieu les en dissuada par plusieurs raisons
que J.-C. résume ainsi : *vous savez que les princes des Gentils exercent
leur domination sur eux.* Quoique irrité de leurs demandes, Dieu avait accordé un souverain aux Juifs ; pour prévenir une semblable obstination
parmi les chrétiens, J.-C. leur dit positivement : *il n'en sera pas de même
parmi vous.* Pouvait-il s'exprimer d'une manière moins équivoque ? Vous
ne reconnaîtrez point cette superbe domination des rois, dussent-ils se
présenter sous le titre spécieux de vos bienfaiteurs ; mais celui qui voudra devenir grand parmi vous, *qu'il soit votre ministre* : et celui qui voudrait être le premier, ou votre roi, *qu'il soit votre esclave.* (54) D'après le
Christ lui-même, un roi chrétien n'est donc que le ministre du peuple ; voilà
donc ce que doit être tout bon magistrat ; ou il ne faut pas qu'il y ait de
roi parmi les chrétiens, ou il faut qu'il soit le serviteur de tous.

Ce que la religion prescrit ici, la simple raison le commande.[55] Platon
ne voulait pas que les magistrats fussent appelés les seigneurs, *mais les
gardiens et serviteurs du peuple.* Il ne voulait pas non plus que les peuples
fussent nommés sujets, *puisque les magistrats et les rois sont à leurs
gages.* Ce qu'il vante par-dessus tout, c'est une république dans laquelle
les lois seules commandent aux hommes, et où les hommes ne sont jamais
les tyrans des lois.[56]

Aristote établit les mêmes principes dans ses *Politiques* [57] et Cicéron
au livre *Des Lois.*[58]

Or, si telle a été l'opinion des hommes les plus sages, si les meilleures
institutions civiles ont eu pour base que le souverain pouvoir résidait dans
la loi ; si l'évangile ne prêche point une doctrine contraire à la raison ni
au droit des nations, n'est-il pas évident que l'apôtre, lorsqu'il nous recom-

---

54. Luc 22 NDR : 25-26. Voir plutôt *Matthieu* 20, 25-28.
55. La raison ne s'oppose pas à la religion. Après l'Ecriture, Milton en vient aux
écrivains de l'Antiquité parce qu'ils incarnent la sagesse humaine.
56. Platon, *Lois* IV, 715.
57. Aristote, *Politiques* 1287 a 22 (III, 16).
58. Erreur dans *CPW* 4 : 380, où l'on dit Platon . Voir éd. Columbia VII, 166.
Cicéron, *Lois*, III, i, 2.

mande de nous soumettre *aux pouvoirs*, lorsqu'il nous dit que *tout pouvoir vient de Dieu*, n'adresse pas seulement la parole aux particuliers, mais aux rois eux-mêmes ? Car autrefois, les anciennes lois étaient regardées comme l'ouvrage de Dieu ; « et qu'est-ce en effet que la loi, dit Ciceron, si ce n'est la raison elle-même, cette émanation de la divinité qui commande le bien et prohibe le mal. » [59] L'institution de la magistrature propre à nous faire vivre sous l'empire des lois aura donc, si l'on veut, une source divine ; mais les peuples ont incontestablement le droit d'élire tels ou tels magistrats, et de choisir la forme de gouvernement qui leur paraît préférable.

Vous voulez, Saumaise, que les rois ne soient soumis à aucune loi ; et vous prétendez, cependant, qu'ils peuvent devenir coupables du crime de lèse-majesté s'ils souffrent qu'on attente à leurs droits ; en sorte que, par une contradiction très palpable, un roi peut tout et ne le peut pas ; il est coupable et il ne l'est point.

Vous nous dites que *Dieu donna plusieurs nations en esclavage à Nabuchodonosor, roi de Babylone.* [60] Je conviens qu'il les lui donna pour un temps limité ; mais montrez-moi qu'il nous ait donnés à ce titre, seulement pour une demi-heure, à Charles Stuart. Il a permis sans doute qu'il nous gouvernât, mais osera-t-on dire qu'il l'a ordonné ? D'ailleurs, si toutes les fois qu'un tyran est le plus fort, on veut que Dieu soumette le peuple à sa tyrannie, pourquoi, lorsque ce peuple a l'avantage, n'accorderait-on pas également à Dieu l'honneur de sa délivrance ? Dieu sera l'auteur de la tyrannie et il ne le sera point de la liberté ! La peste, la famine, la guerre, tous les autres fléaux dont il lui plaît d'affliger les nations, on pourra, on devra s'en délivrer à tout prix, quoiqu'on sache qu'ils viennent de Dieu, et il n'en sera pas de même de la tyrannie ? Pourquoi, quand nous avons les moyens, ne secouerions-nous pas cet avilissant fardeau ? Faudra-t-il que l'impuissance d'un seul à faire le mal de tous se fortifie de l'intervention de la divinité, et que la force générale pour le bien commun ne jouisse pas du même privilège ? Loin de nous, loin de tous les bons citoyens cette doctrine absurde et impie qui frappe toutes les sociétés d'une mort civile, et qui rabaisse la condition de l'espèce humaine

---

59. Cicéron, *XIe Philippique* 28 : « qua lege, quo iure ? Eo, quod Iuppiter ipse sanxit, ut omnia, quae rei publicae salutaria essent, legitima et iusta haberentur. »
60. *Jérémie* 27, 6-8.

à celle des animaux les plus vils, puisqu'en suivant ses maximes, un petit nombre de despotes auront un pouvoir égal sur l'homme et sur la brute !

Quant à moi, je ne doute pas que la suprême puissance réside dans le peuple. « Aussi, dit Cicéron, nos sages aïeux voulurent que la volonté du peuple fût la loi souveraine : c'est par cette raison qu'on déférait au peuple romain le titre de *majesté*. »[61] Pourquoi craindrait-on de soutenir qu'un roi n'est que le serviteur de sa nation puisqu'un Sénat, maître de tant de rois, s'honorait de dépendre du peuple ? Tibère lui-même, le plus pervers des tyrans, rendit hommage à cette éternelle vérité, lorsqu'au rapport de Suétone, il se tint pour offensé par un citoyen qui lui donnait le titre de seigneur. Sans doute,[62] il reconnaissait sa dépendance du peuple lorsque, adressant la parole au Sénat, il dit : « Pères conscrits, j'ai déclaré plusieurs fois, comme je le fais maintenant, qu'un prince à qui vous avez confié librement une aussi grande autorité devait servir à la fois le sénat et le peuple ; je ne me repens pas de cet aveu : jusqu'ici, je me suis applaudi de vous avoir pour maître, je le fais encore. »[63] Et pourquoi cette coutume qui, au rapport de Tacite, obligeait les empereurs à se prosterner devant le peuple en entrant au cirque ? Cette espèce d'adoration n'était-elle pas un aveu de la souveraineté du peuple ? [64]

Saumaise, vous n'avez pas pu regarder de bonne foi comme nouvelle une opinion adoptée dans tous les temps par les philosophes les plus sages et les politiques les plus célèbres. La vôtre n'a pas été puisée dans de pareilles sources. Le pape et son clergé en ont été les inventeurs, [65] dans un siècle où ils n'avaient que très peu de crédit. C'est par cette doctrine servile qu'ils sont parvenus à acquérir une immensité de pouvoirs et de richesses. Alors ils ont mis sous le joug les despotes mêmes qu'ils avaient bassement adulés. Pour maintenir la plus intolérable de toutes les tyrannies, ils ont tâché de persuader aux peuples qu'il était de leur devoir de gémir sous l'oppression d'un mauvais prince et que, pour s'en affranchir, il fallait absolument que le pape les déliât du serment de fidélité. Voilà les dignes auteurs de vos dogmes inhumains. C'est d'après eux que vous

---

61. Cicéron, *Pro Flacco* 15.
62. Suétone, *Tibère* 27.
63. Suétone, *Tibère* 29.
64. Tacite, *Annales* XVI, 4.
65. Ces sentiments anti-catholiques, anti-cléricaux, avaient de quoi séduire. La réalité est quelque peu différente.

nous répétez « que les rois n'ont que Dieu pour juge, et qu'aucune loi, écrite ou non écrite, naturelle ou divine, ne les soumet à être jugés par leurs sujets. » Mais est-il une loi qui le défende ? Existe-t-il un seul code pénal[66] qui excepte les rois de la peine due au crime ? La justice et la raison [67] n'ordonnent-elles pas de punir indistinctement tous les coupables ? Dieu dit dans Ésaïe : *j'ai créé le meurtrier pour détruire* [68] : le meurtrier sera-t-il donc au-dessus des lois ?

Mais, dites-vous, l'*Etat serait bouleversé*... Qu'importe, si cette révolution doit opérer son salut ! Où en seraient les choses humaines s'il était impossible d'y toucher lorsqu'elles empirent ? Le changement ne peut qu'être avantageux en ceci ; car le pouvoir du roi retourne naturellement au peuple qui l'en avait investi. [69] Il revient de celui qui abusait à celui qui a souffert de cet abus. Rien n'est plus juste ni moins susceptible d'arbitrage. Les lois ne font plus acception de personne ; tous les individus y sont également soumis ; et il n'existe plus de dieu, de chair et de sang, espèce d'être qui ne répugne pas moins à la politique qu'à la religion.

****

CHAPITRE IV

Peut-être croyez-vous, Saumaise, avoir bien mérité des princes par la doctrine que vous professez. Mais si vos flatteries ne les aveuglent point sur leurs véritables intérêts, ils vous regarderont comme leur plus cruel ennemi ; car, en mettant leur pouvoir au-dessus des lois, vous apprenez à tous ceux qui vivent sous un pareil gouvernement une vérité dont

---

66. Terme inconnu en Angleterre, où règne la *common law*, droit coutumier d'origine jurisprudentiel.
67. La morale, ajoute Milton.
68. *Ésaïe* 54, 16.
69. Sans que l'on retourne pour autant à la loi de nature. Comparez Thomas Hobbes, *Leviathan* (1651), Chapitre XVIII, où il est impossible que les sujets soient libérés de leur sujétion en alléguant quelque cas de déchéance : « Ceux qui sont les sujets d'un monarque ne peuvent... pas, sans son aveu, rejeter la monarchie et retourner à la confusion d'une multitude désunie ; ni transférer leur personnalité de celui qui en est le dépositaire à un autre homme ou à une autre assemblée d'hommes. »

peut-être ils ne se doutaient pas : c'est qu'ils ne sont qu'un misérable troupeau d'esclaves, et, par cela même, vous les rendez plus désireux de [la] liberté. Plus vous établirez que ce pouvoir exorbitant des rois n'est point une attribution du peuple, mais qu'il est tel par sa nature, plus vous rendrez leur domination insupportable. Ainsi, persuadez ou ne persuadez pas, votre doctrine n'en sera pas moins pernicieuse à l'autorité royale.[70] Si l'on admet avec vous que le pouvoir des rois n'a point de bornes, on ne voudra pas d'un pareil gouvernement. Si, au contraire, vous ne convaincrez personne de la vérité de votre système, les peuples ne verront dans les rois que les usurpateurs d'une autorité qui appartient aux nations, et, dans les deux cas, vous serez également funeste à ceux dont vous plaidez la cause.

Mais si les princes sont les premiers à reconnaître la souveraineté des lois, au lieu d'un gouvernement faible, orageux, incertain, tourmenté de soucis et de craintes, leur règne offrira l'image du repos et de la sécurité.

Ainsi Lycurgue, roi des Lacédémoniens[71], voyant que les souverains d'Argos et de Messène s'étaient perdus pour avoir affecté la tyrannie, n'hésita point à reconnaître l'autorité du Sénat et des Éphores, ce qui raffermit son trône et conserva la royauté dans sa famille pendant une longue suite de siècles.

Thésée, roi d'Athènes,[72] rendit de même au peuple toute sa liberté, et ses descendants n'en régnèrent que plus paisiblement sur l'Attique. Voilà, sans doute, l'exemple le plus salutaire qu'on ait pu donner aux souverains. Que les hommes souffrent qu'un seul homme soit au-dessus des lois, voilà ce qu'aucune loi n'a pu sanctionner, car une loi qui renverse toutes les autres ne peut pas elle-même être une loi.

Ce que vous ne pouvez établir par vos raisonnements, Saumaise, vous cherchez à le prouver par des faits ; mais vous y succombez encore.[73] Et,

---

70. C'est encore un habile retournement de l'argumentation : le droit divin des rois porte préjudice à la royauté.

71. Quelques savants prétendent que c'est Théopompe qui, plus de cent ans après Lycurgue, introduisit à Lacédémone le gouvernement mixte, et subordonna son pouvoir à celui du peuple. NDR : C'est durant le reigne de Théopompe (VIIIe siècle avant J.-C) que fut établi l'Ephorat pour limiter l'autorité royale. Ceci explique qu'elle ait survécu, contrairement à Argos ou en Messénie. Voir Aristote, *Politiques* 1313 a26 (V, xi), ainsi que la note correspondante.

72. Chez Milton, il s'agit encore de Lycurgue.

73. Omission des pp. 401 - 2e § à 419 - 3e §.

par exemple, il est très faux que tous les chrétiens se soient soumis aveuglément à leurs souverains, quels qu'ils fussent, jusqu'à ce que l'autorité de la tiare s'élevant au-dessus de celle des rois, le pontife osât délier les sujets du serment de fidélité.[74] La prétendue absolution donnée aux Français par le pape *Zacharie* lors de la déposition de Childéric est de toute fausseté. Hotman, français et célèbre jurisconsulte, dit, après les meilleurs historiens[(75)], que ce ne fut point par l'autorité du pape que les Français déposèrent Childéric et couronnèrent Pépin : cette affaire fut traitée dans une assemblée nationale, conformément à l'autorité constitutionnelle de cette assemblée. Les historiens français, et le pape Zacharie lui-même, reconnaissent que pour opérer cette révolution, il n'était pas nécessaire que les peuples fussent déliés du serment de fidélité. Non seulement Hotman, mais Girard, l'un des plus célèbres historiens de votre nation,[76] nous apprennent que, lors de l'institution de la royauté, les Francs s'étaient réservés le droit d'élire et de déposer leurs rois quand ils le jugeraient convenable ; que leur serment de fidélité n'était obligatoire qu'autant que le roi observait fidèlement les lois auxquelles il avait juré de se conformer lors de son couronnement. En sorte que si le roi, par sa mauvaise administration, violait le premier son serment, le peuple se trouvait naturellement délié du sien, sans qu'il fût besoin de recourir à l'autorité papale. Enfin, Zacharie, dans sa lettre aux Français, que vous citez, reconnaît en eux le droit que, selon vous, il s'est arrogé lui-même ; *si un prince,* leur dit-il, *si un prince devient coupable envers le peuple, par la grâce duquel il règne, ce peuple qui l'a établi peut également le déposer.*[77] Est-il probable que par aucun serment postérieur, les Français aient jamais entendu

---

74. On retrouve le complot papiste.
75. *Franco-Gallia*, chap. 13. *** NDR : Hotman, *La gaule française*, Cologne 1574 ; éd. Fayard, Paris, 1991, 119-24 : « A scavoir, si Pepin fut fait Roy par l'autorité du Pape, ou de l'assemblée des Estats. » Cf. : « l'assemblée du peuple, et le conseil general des estats de France, avoyent souveraine puissance, non seulement de donner, mais aussi d'oster la dignité Royale. » (73)
76. Bernard de Girard, *Histoire de France* (1576) : Cf. *Carnet* I : 461 : « Il faut noter que jusqu'à Hugues Capet, tous les rois de France ont été élus par les Français qui se réservèrent cette puissance d'élire, de bannir et de chasser leurs rois." Livre 1. p[age] 19. dans l'édition folio. Et Livre 3. p[age] 123. [où] l'élection est conditionnelle, ainsi que p[ages] 129. 134. »
77. In *Defensio Regia* (1649), p. 98, lignes 7-10.

se départir du droit qu'avaient leurs aïeux de déposer les mauvais princes et d'honorer les bons? Ni qu'ils se croient obligés envers les tyrans à la fidélité qu'ils sont convenus de n'accorder qu'aux bons rois? Un peuple qui n'est lié que par un serment de cette nature en est nécessairement affranchi. Lorsqu'un prince légitime devient tyran, ou lorsqu'il se laisse corrompre par la paresse et par la volupté,[78] ce peuple ne lui doit plus d'obéissance, il est libre ; et sans doute il n'est pas nécessaire que d'autres lois que les siennes proclament cette liberté !

****

CHAPITRE V

J'AI toujours cru, Saumaise, que la loi de Dieu devait s'accorder parfaitement avec celle de la nature,[79] de sorte qu'en faisant voir quel est l'esprit de la loi divine relativement aux rois, je croyais montrer en même temps ce qui est le mieux d'accord avec les droits de la nature. Mais puisque vous prétendez *nous réfuter plus puissamment encore par la loi naturelle*, je veux bien regarder comme nécessaire ce qui d'abord me paraissait oiseux ; je montrerai donc que, suivant cette loi, rien n'est plus légitime que de punir les tyrans : et si je n'y parviens pas, je consens avec vous qu'ils soient également exempts de toute peine par la loi de Dieu.

Je n'entreprendrai point de faire un long discours sur la nature en général ni sur l'origine des sociétés civiles ; cette matière n'est pas neuve,[80] il serait inutile d'y revenir, et mon intention n'est pas tant de vous réfuter que de montrer à quel point vous vous réfutez vous-même.

« La loi de nature, dites-vous, est un sentiment gravé dans tous les cœurs, qui, chez les hommes réunis en société, les intéresse au bien de l'as-

---

78. Milton dit : « lorsqu'il est bon à rien. »

79. Thèse fondamentale chez Milton : il y a symbiose ontologique entre l'ordre naturel et l'ordre surnaturel, entre la nature et la religion, entre la raison et la foi. Cf. « Et celui qui est injuste envers l'homme est sacrilège au regard de Dieu. » (*Eikonoklastes* 3 : 469)

80. Il aurait été intéressant que Milton précise ses références. Toutefois, il n'est pas interdit de penser à Platon, Aristote, Cicéron ou St Thomas d'Acquin. Comparez la conception augustinienne de l'Etat avec celle d'Aristote.

sociation.[81] Mais ce sentiment, ce principe inné n'opérerait jamais à l'avantage de tous, si les hommes, devant nécessairement être gouvernés, {ils} ne désignaient ceux qui doivent les régir » : c'est-à-dire sans doute, afin que le fort n'opprime pas le faible, et que les individus qui se sont réunis [ensemble] pour leur mutuelle sûreté ne soient pas exposés à être désunis par l'outrage et par la violence, et forcés de reprendre une vie errante et sauvage : n'est-ce pas ainsi que vous l'entendez ? « Il a fallu, continuez-vous, que dans le nombre des associés, on en choisît quelques-uns qui surpassaient les autres en sagesse et en valeur, afin que, soit par la force, soit par la persuasion, ils continssent dans le devoir ceux qui voudraient s'en écarter ; souvent il a suffi d'une seule personne pour remplir cet objet, et quelquefois il a fallu la réunion de plusieurs. Au reste, un seul ne pouvant pourvoir à l'administration de tout, il faut bien qu'il partage le gouvernement avec d'autres, soit donc qu'une seule personne règne, soit que le souverain pouvoir réside dans l'assemblée de la nation, puisqu'il est impossible que tous puissent administrer les affaires de la république, ou qu'elles puissent être administrées par un seul, il faut que le gouvernement se partage entre plusieurs », et vous ajoutez ensuite : « mais quelle que soit la force du gouvernement, soit qu'elle réside dans la main de plusieurs, d'un petit nombre ou d'un seul, le gouvernement est également conforme à la loi de nature ; car il est fondé sur le même principe, c'est-à-dire qu'il est impossible à un seul de gouverner seul, et de ne pas en admettre d'autres dans l'exercice du gouvernement. »

Je transcris ces paroles de votre propre ouvrage, quoique j'eusse pu le copier ainsi que vous dans le troisième livre des *Politiques* d'Aristote, à qui vous l'avez volé,[82] quoique très innocemment, pour la ruine des

---

81. Comparez Milton : « La loi non écrite est la loi de nature donnée au premier homme. Il en subsiste une sorte de reflet ou de lueur dans le cœur de l'humanité. Jour après jour, chez le régénéré, elle est rénovée par l'opération du Saint Esprit, et se rapproche de son éclat originel de perfection » (*De Doctrina Christiana* 6 : 516). Ainsi la loi de nature chez Milton est-elle théologique puisqu'elle tend vers Dieu, tandis que chez Saumaise, elle est proprement politique : elle vise au bien de la Cité.
82. Aristote, *Politiques* III, xvi, 2 : « (…) il n'est pas conforme à la nature qu'un seul homme soit le maître absolu de tous les citoyens, là où la cité se compose d'individus semblables, car les êtres semblables par nature doit avoir nécessairement les mêmes droits et la même dignité en vertu de leur nature même. » Cf. Id., xvii, 2.

monarchies et de votre propre système. Comment trouverez-vous, en effet, dans cette loi de nature, telle que vous nous la présentez, le moindre vestige de votre prétendu droit des rois ? *La loi de nature,* dites-vous, *a eu égard au bien de tous lorsqu'elle a institué ceux qui doivent gouverner ;* elle n'a donc pas considéré l'avantage particulier d'un seul ni du monarque, puisqu'il n'est tel que pour l'intérêt du peuple, et qu'ainsi le peuple lui est supérieur ; il n'a donc aucun droit légitime d'opprimer ni d'asservir le peuple, et puisqu'il ne l'a pas, ce droit, il faut conformément à la loi de la nature reconnaître dans les peuples des droits supérieurs à ceux des princes.[83] Si ces mêmes peuples, avant l'institution de la royauté, purent s'unir de force et de conseil pour leur conservation et leur défense ; si, dans la suite, ils eurent également le droit d'en élever un ou plusieurs au-dessus des autres, pour mieux assurer la paix et la liberté communes,[84] ce même droit, s'ils ont lieu de se repentir de leur choix, leur laisse toujours la liberté de déposer ceux qui auraient trompé leurs espérances ; car il est dans l'ordre de la nature que les intérêts secondaires cèdent à l'intérêt du tout.

Mais quelles sont les personnes dont vous supposez qu'on a fait choix pour le gouvernement ? *Celles qui excellaient par leur courage et par leur conduite ;* c'est-à-dire celles qui naturellement paraissent les plus propres à remplir dignement les fonctions publiques. L'invincible conséquence de ceci, ne serait-elle pas qu'il est contraire aux lois de la nature que le trône soit héréditaire ?[85] Que nul homme ne peut être roi s'il ne l'emporte sur les autres en sagesse et en courage ? Enfin, que tous ceux qui, manquant de ces qualités, parviennent au gouvernement, par la force ou par les factions, n'ont en vertu de la loi de nature aucun droit au poste qu'ils occupent, et que leur véritable condition serait plutôt d'être esclaves que d'être princes ? Car la nature veut que les sages gouvernent les fous, et non pas que les méchants règnent sur les bons, ni les fous sur les sages ; d'où il suit qu'ôter de leurs mains les rênes du gouvernement, c'est agir conformément aux lois de la nature.

---

83. C'est un raisonnement spécieux : en effet, faut-il en déduire que le peuple aurait un pouvoir supérieur en ce qu'il pourrait « opprimer » ou « asservir » le roi ?
84. Ainsi y a-t-il double contrat : l'un, *pactum associationis* (constitution de la communauté politique), l'autre, *pactum subjectionis* (soumission de la communauté politique à un roi ou des magistrats).
85. La royauté conforme à la loi de nature est élective.

Pourquoi exige-t-elle que ce soient les plus sages qui gouvernent ? Vous nous l'apprenez vous-même : *c'est afin que par la force, ou par la persuasion, ils puissent retenir dans le devoir ceux qui voudraient s'en écarter.* Mais comment contiendront-ils les autres dans le devoir s'ils ignorent ou si volontairement ils enfreignent le leur ?

Maintenant, citez, si vous le pouvez, quelque précepte de la nature par lequel il nous soit enjoint de nous écarter de ses lois dans les institutions politiques, tandis que dans les choses privées de sentiment, nous la voyons elle-même suivre un ordre constant, et mettre tout à profit pour l'accomplissement de ses vues. Montrez-nous quelque règle de justice naturelle qui nous prescrive de punir les coupables obscurs, et de laisser impunis les rois et les princes ; que dis-je ? Non seulement de les laisser impunis, mais de les adorer, de leur rendre une espèce de culte, quoique souillés des crimes les plus énormes. Vous prétendez que toutes les formes de gouvernement entrent également dans le vœu de la nature ; eh bien ! La personne d'un roi n'est donc pas plus sacrée que celle des membres qui composent un sénat souverain élu parmi le peuple. Vous dites qu'ils peuvent et qu'ils doivent être punis s'ils se rendent coupables ; il faut donc qu'un roi, qui par le but de son institution ne diffère point des autres magistrats, le soit également.

Si, selon vous-même, la nature ne permet pas qu'un seul puisse gouverner assez complètement pour se passer de co-administrateurs qui partagent son autorité ; à plus forte raison ne permet-elle pas qu'un seul commande de manière que tous les autres soient des esclaves. Ainsi, tous les efforts que vous faites pour établir votre prétendu droit des rois sur les lois de nature ne tendent précisément qu'à le détruire.

Lorsque vous avez pris avec votre conscience l'arrangement d'arriver au degré de perversité nécessaire pour appuyer la tyrannie sur la loi naturelle ; vous avez senti la nécessité de préférer le gouvernement monarchique à tous les gouvernements : pour y parvenir, il fallait que vous vous trouvassiez en contradiction avec vous-même ; car, après avoir soutenu que la nature s'accommodait également de toutes les formes connues, vous nous dites maintenant que le gouvernement d'un seul est le plus naturel : et cela, quoique vous ayez déclaré très positivement que la nature ne permettait pas que toute la force du gouvernement pût résider dans la main d'un seul individu. Comment pourriez-vous donc trouver mauvais qu'on punît les tyrans, puisque, par vos propres assertions, vous coupez la gorge à tous

117

les rois, et renversez tous les gouvernements monarchiques? Il n'est pas de mon sujet d'examiner quelle est la meilleure forme de gouvernement.[86] Quelques hommes célèbres se sont déclarés pour le monarchique, mais toujours en supposant que des vertus supérieures rendraient le monarque digne de régner préférablement à tout autre, sans quoi nul gouvernement ne dégénère plus promptement en tyrannie. Et puisque vous comparez le gouvernement d'un seul à celui de l'être suprême [87] qui régit le monde, il faut, pour que la comparaison soit juste, que le prince l'emporte infiniment en sagesse et en bonté sur tous les autres hommes afin d'avoir, du moins, quelque trait de ressemblance avec Dieu : or je ne connais que Dieu le fils qui puisse remplir l'idée qu'on doit se former d'un être semblable.

La même raison naturelle qui veut que, pour le bien et la sûreté des hommes, on établisse un souverain, cette même raison, selon vous, exige qu'on le conserve après l'avoir établi. Eh! Qui vous dit qu'on ne doive pas le conserver toutes les fois que sa suprématie intéresse le salut de tous? Mais faut-il de grandes lumières pour [s']apercevoir qu'il n'est pas dans les vues de la nature qu'un seul existe pour le malheur de tous les autres? Cependant, il vaut mieux à votre avis maintenir un méchant prince, quelle que soit sa perversité, que d'en changer; car son règne ne fait jamais autant de mal à la république que les séditions qu'occasionne son déplacement. Mais cette raison prouve-t-elle que votre prétendu droit des rois soit fondé sur la loi naturelle? Si plutôt que de défendre ma bourse au péril de ma vie, je me la laisse enlever par un voleur, ou si, détenu dans les fers, je donne tout mon bien pour recouvrer ma liberté plutôt que d'en venir aux mains avec ceux qui m'y retiennent, en inférerez-vous qu'on avait le droit de m'enchaîner ou de me voler? Les peuples sont quelquefois forcés de céder à la tyrannie; faudra-t-il donc en conclure que les tyrans ont le droit de les opprimer? Un droit que la nature donne au peuple pour sa conservation, soutiendrez-vous qu'elle le donne aux tyrans pour sa ruine? De deux maux, la nature nous apprend à choisir le moindre, et à le supporter aussi longtemps que la nécessité l'exige; mais parce que les cir-

---

86. Milton ne vante les mérites d'une république aristocratique, faite des gens les meilleurs par leur vertu, qu'à la veille de la Restauration (en 1660).
87. Dieu, pour Milton : *l'être suprême*, pour le franc-maçon Mirabeau, renvoie au grand architecte de l'univers.

constances peuvent quelquefois faire craindre que la déposition d'un tyran ne soit plus funeste à la patrie que sa tyrannie même, prétendrez-vous qu'il en résulte pour lui le droit naturel de faire tout le mal dont il pourra s'aviser, sans que le peuple ait celui de le déposer ni de le punir ? Souvenez-vous que vous étiez d'un tout autre sentiment lorsque vous écriviez contre le despotisme du clergé : c'est qu'alors vous parliez d'après votre conscience, votre plume ne s'était point vendue aux *Jacobus* [88] de Charles, et vous n'aviez pas encore gagné *le mal de roi*. [89]

Rougissez d'une aussi indigne prévarication, rougissez, si cependant rougir est encore en votre pouvoir, écrivain sans pudeur ! Qui, pour quelques pièces de monnaie, avez chassé loin de vous toute espèce de honte.[90] Ignorez-vous donc à quel degré de gloire parvint la république romaine après l'expulsion des rois ? Oubliez-vous celle des Provinces-Unies depuis qu'elles ont secoué le joug de l'Espagne ? [91] Vous, chevalier grammairien, qu'elles paient et qu'elles alimentent, mais non pas sans doute afin que vous appreniez à la jeunesse batave à regretter la servitude ibérienne, et à mépriser la glorieuse liberté qu'elle dut à ses braves ancêtres. Puissent ces dignes républicains vous bannir, vous et votre doctrine abominable ! Puissent-ils vous reléguer dans quelque coin ignoré de l'univers, sur le sommet glacé des monts Riphées ! [92] Mais plutôt qu'ils suivent l'exemple de la nation anglaise : elle a su se venger de son tyran ; qu'ils traitent de même son apologiste !

« Mais les discordes civiles ont défiguré cette île, jadis heureuse sous ses rois, et brillante par son luxe » : dites plutôt que ces discordes l'ont sauvée, lorsque, perdue par ce même luxe, elle n'avait plus qu'une religion vénale et des lois sans vigueur, ne voilà-t-il pas le grave éditeur d'Epictète et de Simplicius qui prétend qu'un luxe effréné fait le bon-

---

88. Jeu de mots. *Jacobus* : pièce d'or d'une valeur de 25 shillings, frappée sous le règne de Jacques Ier. (Jacobus en latin).
89. Mirabeau déplace le jeu de mots qu'il n'a pu rendre sur Jacobus : le mal de roi est la soif d'argent (les pièces étaient frappées à l'effigie du roi / de la reine).
90. Milton, serviteur de la république, dénonce Saumaise le mercenaire, payé par Charles II pour apporter la réplique à *Eikonoklastes* (1649).
91. En 1581, Philippe II d'Espagne doit céder les Provinces-Unies. Voir n. 246.
92. Monts Riphées : en Scythie. « Et sa mer glacée, » ajoute Milton : l'Océan arctique.

heur d'une île ? Serait-ce du portique que nous viendrait une si belle maxime avec la théorie du pouvoir illimité des rois ? [93]

Jamais dites-vous, jamais, sous aucun règne, il n'y eut tant de sang répandu, tant de familles désolées ; je l'avoue, mais ce n'est point aux Anglais, c'est à Charles que ce reproche s'adresse ; à Charles qui se servit des troupes irlandaises pour nous opprimer ; à Charles qui, dans un diplôme,[94] ordonna que tous les Irlandais conspirassent contre nous, et qui, par leurs mains, immola dans une seule province près de 200 000 Anglais, ses propres sujets [95] : que n'a pas fait son génie dévastateur dans toutes les autres parties du royaume ? N'avait-il pas sollicité deux armées à consommer la ruine du Parlement et de la ville de Londres ? En un mot, que d'actes d'hostilités ne s'était-il pas permis avant que le peuple et les magistrats eussent pris le parti d'armer un seul citoyen pour le salut de la patrie ? Quelle doctrine, quelle loi, quelle religion ont jamais ordonné que les hommes dussent aviser à leur repos, à leur fortune, à leur vie même, plutôt qu'à repousser les attaques d'un ennemi ? Qu'importe que cet ennemi soit du dehors ou de l'intérieur lorsque la patrie est menacée de la ruine ? [96] Certainement, si la nature nous portait à souffrir la domination d'un roi, quelque tyrannique qu'elle fût, plutôt que de compromettre la vie de plusieurs citoyens pour recouvrer notre liberté ; cette même nature nous porterait à supporter non seulement un roi, le seul, cependant, dont vous prétendiez que l'autorité doive être absolument sacrée, mais aussi des aristocrates ou des démagogues, auxquels il plairait de nous écraser de leur despotisme. Que dis-je ? Nous serions à la merci d'une bande de brigands ; mais la nature nous aurait doués d'insensibilité si elle eut voulu que nous fussions des êtres absolument passifs. La nation anglaise n'a donc qu'usé de ses droits, et rempli ses devoirs ; elle n'est pas plus coupable envers la nature qu'envers la religion : elle s'est vengée par le supplice mérité d'un homme qui n'avait de roi que le nom, et qui, dans la réalité, fut un horrible fléau ; le sang d'un nombre infini de

---

93. Saumaise avait édité *Simplicii Commentarius in Enchiridion Epicteti* (Leyde, 1640) Zénon de Citium (c. 335 - c. 234), fondateur de l'Ecole stoïque de philosophie, dite le Portique ; Épictète, second fondateur du Portique (Ier siècle) ; Simplicius commente son *Manuel* au VIe siècle. On lie la sagesse stoïcienne au christianisme.
94. C.-à-d. une *proclamation*.
95. Vif sentiment anti-Irlandais.
96. Aucune distinction tyran d'usurpation / tyran d'exercice.

bons citoyens, dont il nous avait privés, criait vengeance contre lui ; nous la leur avons accordée.

****

CHAPITRE VI

APRÈS avoir cherché vainement à vous étayer de [97] la loi divine et de la loi de nature, après avoir traité ces divers objets avec une rare improbité, je ne vois pas sur quels fondements vous pourriez encore appuyer votre doctrine. Quant à moi, je crois avoir pleinement satisfait tous les bons esprits dans une cause aussi digne de leur attention ; mais de peur qu'on ne regarde mon mépris pour vos sophismes comme un effet de la crainte ou de l'impuissance, je consens à vous suivre dans tous vos détours.

Maintenant, dites-vous, *je vais exposer des raisonnements plus forts et d'un ordre supérieur...* Quoi ! D'un ordre supérieur à ceux que peuvent fournir la loi divine et la loi de nature ! À l'aide, Lucine ! [98] Saumaise est en travail. Mortels ! Venez contempler l'étonnante production à laquelle il va donner le jour.

Si un roi peut être accusé devant un autre pouvoir, il faut de toute nécessité que ce pouvoir soit plus grand que le sien : s'il l'est effectivement, il est le pouvoir royal et doit en avoir la dénomination : car on entend par autorité royale un pouvoir supérieur à tous les autres. Ne voilà-t-il pas un rare enfantement ! Accourez, grammairiens, au secours de votre confrère ; il ne se bat plus pour la loi divine ni pour la loi de la nature ; il y va pour lui d'un objet bien plus précieux, puisqu'il s'agit de son dictionnaire.

A la vérité, nous pourrions répondre à Saumaise que, contents de notre liberté, nous prenons peu d'intérêt à la définition de l'autorité royale puisque nous n'avons plus de roi : [99] mais nous répondrons plus directement.

---

97. FR. : vous appuyer sur...
98. Nom d'une déesse romaine ayant pour particularité de présider aux accouchements.
99. À la différence de la France, au moment où l'on traduit son pamphlet.

Non seulement notre opinion, mais celle des hommes les plus sages, a toujours été que l'autorité royale n'est nullement incompatible avec le pouvoir supérieur du peuple et de la loi. Platon exalte le procédé de Lycurgue qui, pour affermir l'autorité royale, la soumit à celle du Sénat et des Éphores, c'est-à-dire du peuple. [100] Ce philosophe cite cet exemple aux Siciliens, et regarde une telle modération comme le palladium du trône ; il en est de même d'Aristote, dans son troisième livre des *Politiques*, où il prétend que de tous les empires gouvernés par les lois, celui des lacédémoniens mérite le mieux le nom de royaume [101] : un roi quoique soumis à l'autorité du peuple n'en est donc pas moins roi. Saumaise, ne trahissez plus les intérêts de l'humanité pour ceux de votre glossaire ; et souvenez-vous, à l'avenir, que les choses ne doivent pas se conformer aux mots, mais que les mots doivent se conformer aux choses. [102]

Vous dites que le pouvoir du peuple cesse partout où il existe un roi ; mais de quel droit, je vous prie, puisqu'il est reconnu que dans presque tous les pays, ce n'est qu'à certaines conditions que les rois ont été investis de leur autorité par le peuple ? Lorsqu'ils manquent à ces conditions, apprenez-moi pourquoi cette autorité, dont ils ne sont que des dépositaires, ne reviendrait point au peuple[103] comme celle de consul ou de tout autre magistrat ? Soutenez-vous sérieusement qu'il importe au salut du peuple que ce retour n'ait pas lieu quand il s'agit d'un roi ? Que le souverain pouvoir ait été confié à un sénat, à un triumvirat ou à un monarque, n'importe-t-il donc pas également au peuple de le reprendre toutes les fois qu'on en abuse ? Il m'est impossible de comprendre le motif de l'exception que vous voudriez faire en faveur des rois. En instituant des magistrats, quels qu'ils soient, un peuple ne peut certainement se proposer d'autre but que le bien commun. S'il est trompé dans ses espérances, si ce qu'il a fait pour son avantage ne tourne qu'à sa ruine, pourquoi ne

---

100. Platon, *Lettre VIII*, 354 b.
101. Aristote, *Politiques*, 1285 a 2 (III, 14). L'original inclut l'exemple de Thésée, que Mirabeau déplace plus loin.
102. Adéquation mots / objets, signifiant / signifié. Mirabeau a supprimé un passage important où Milton justifie l'intervention de l'Armée pour démêler l'écheveau politique. Selon Milton, la souveraineté populaire réside dans le Parlement Croupion, épuré par les Militaires, figure métonymique du Parlement, parce qu'il est « la meilleure partie, la partie la plus saine du Parlement. » (*CPW* 4 : 457)
103. Thèse contractualiste.

reprendrait-il pas une autorité qu'il avait confiée pour une meilleure fin ? Et s'il faut avoir égard [à] la difficulté de l'entreprise, ce retour n'est-il pas plus aisé, lorsque l'autorité se trouve dans la main d'un seul ? Les hommes seraient au comble de la démence si le pouvoir qu'ils donnent sur eux à un de leurs semblables,[104] ils le lui confiaient à d'autre titre qu'à celui de dépôt ; et c'est calomnier la nature humaine de croire qu'un peuple maître de sa volonté puisse être assez imbécile et lâche pour se dépouiller de toute l'étendue de son pouvoir, ou pour s'interdire à jamais la faculté de la reprendre ; la crainte qu'il n'en résulte des dissensions et des guerres civiles ne constitue pas, pour le roi, le droit de retenir par la force un pouvoir que le peuple réclame. Nous conviendrons donc avec vous qu'on ne doit pas légèrement changer de gouverneur [105] ; mais cette maxime n'a de rapport qu'à la prudence des peuples, et nullement aux droits des rois. Il ne s'ensuit pas de la circonspection qu'exigent ces sortes de révolutions qu'elles ne puissent jamais avoir lieu pour quelque considération que ce soit. Un monarque qui ne serait même qu'incapable sera légitimement déposé s'il l'est par le consentement unanime de la nation. Cette révolution peut s'opérer sans troubles, sans dissensions, sans guerre civile ; la France, votre patrie, nous en offre plus d'un exemple.[106]

Puisque la suprême loi doit être le salut du peuple et non celui des tyrans ; puisque les peuples doivent l'invoquer contre les tyrans et non les tyrans contre les peuples ; vous qui, par vos sophismes, osez corrompre cette loi sainte et sacrée ; vous qui voulez que cette loi tutélaire des peuples devienne le gage d'impunité des tyrans, apprenez que le ciel et les hommes sont également outragés de cette audace impie, [107] et que leur vengeance est prête à fondre sur vous. Mais, que dis-je, votre supplice est dans votre ruine ; vous avez, autant qu'il était en vous, dégradé la dignité de l'homme

---

104. Est-il « leur semblable » s'il les dépasse en vertu ? Et ne serait-il pas légitime qu'un seul être à la vertu éminente dirige la communauté politique ? Si Milton justifie les droits d'une minorité vertueuse à imposer sa volonté sur la multitude dévoyée, il nie les droits individuels dans la mesure où le seul homme éminement vertueux ne saurait accéder au pouvoir suprême.
105. Tout comme l'on ne doit pas divorcer selon son bon plaisir.
106. On aimerait bien savoir lesquels.
107. L'homme est encore lié à Dieu. À noter que l'original parle de "crime éhonté", alors que Mirabeau dit "audace impie".

[108] : son aspect sera pour vous un reproche éternel de votre perversité. Quoi ! Vous avez osé proférer ces paroles sacrilèges : *si des particuliers ont pu se vendre comme esclaves, une nation peut faire de même* ! Et depuis quand la nature et l'humanité ont-elles cessé de réclamer [109] contre cet horrible trafic ? Ainsi, les rois qui ne peuvent pas même aliéner le domaine de la couronne pourraient vendre leurs sujets ! [110] Ainsi, le roi pourrait regarder le peuple comme sa propriété, qui ne tient son patrimoine que de la munificence de ce même peuple, et qui ne le possède qu'à titre de concession usufruitière ! Les bêtes de somme sont moins viles et moins brutes que l'homme qui professe la doctrine scandaleuse que vous ne rougissez pas de publier !

****

CHAPITRE VII

C'est pour éviter deux grands inconvénients que vous vous êtes déterminé à nier que l'autorité du peuple fût supérieure à celle du roi ; car si cette opinion était admise, il faudrait, selon vous, que les rois changeassent de nom, parce que le peuple serait roi ; or le système de votre politique en serait entièrement bouleversé et même, vous vous trouveriez réduit à la fâcheuse nécessité de réformer votre dictionnaire.

Dans ma réponse, j'ai songé d'abord à défendre notre salut et notre liberté ! Mais, Saumaise, je n'ai entièrement[111] négligé les intérêts de votre dictionnaire et de votre politique. J'ai poussé la complaisance jusqu'à vous faire voir que leur sort n'était pas aussi désespéré que vous pouviez le craindre, et que, pour les sauver, il n'était pas absolument nécessaire d'anéantir nos droits.

---

108. L'original dit : « vous avez… condamné l'homme au martyre. »

109. FR. : protester.

110. Les sujets ne sont pas des esclaves : ils ont des droits. Le roi ne saurait en disposer à sa guise, pas plus que son royaume lui appartiendrait. La comparaison est quelque peu maladroite : le roi aurait la jouissance de ses sujets, assimilés pour l'occasion à des biens immobiliers, mais il n'en serait pas propriétaire. Est-ce à dire qu'ils doivent se plier à sa volonté ? Que le roi ne pourrait les céder à une puissance étrangère ?

111. FR. : nullement.

Maintenant vous entreprenez de prouver qu'un roi ne peut pas être jugé par ses propres sujets, parce que, dites-vous, n'ayant point d'égal dans son royaume, il peut décliner toute espèce de juridiction.

Ainsi, lorsque Marc Aurèle s'en rapportait au jugement du Sénat et du peuple romain, lorsqu'il déclarait qu'il était prêt à quitter le gouvernement s'ils [se] prononçaient en faveur de Cassius, gouverneur de Syrie, qui lui disputait le sceptre, Marc Aurèle avait tort de ne pas récuser ce tribunal auguste, et le meilleur des rois ignora les droits de la royauté ! [112] Saumaise ! Vous ne pouvez échapper à la pitié que par l'indignation !

Les bons rois n'ont, en effet, par la loi de nature, d'autre supérieur que le sénat ou le peuple ; mais les tyrans étant essentiellement les derniers des hommes, [113] quiconque est plus fort qu'eux doit être *regardé* comme leur supérieur légitime ; car si, par l'impulsion de la nature, les hommes renoncèrent jadis à la force et à la violence pour se soumettre aux lois, cette même nature les ramène à la force et à la violence lorsqu'il n'existe plus de loi. [114] Ainsi, que les rois soient bons ou mauvais, l'autorité du sénat ou du peuple est toujours au-dessus de la leur. C'est un principe d'éternelle vérité que la flatterie la plus artificieuse ne saurait détruire, et vous en convenez vous-même, lorsque vous nous dites que l'autorité royale passe du peuple au roi ; car, dans cette communication de pouvoir, le peuple donne sans s'appauvrir, et par une propriété que j'appellerai virtuelle, quoiqu'il donne effectivement, la chose donnée lui reste toujours. Telle est la nature des causes éminentes : elles retiennent plus de force et d'énergie qu'elles n'en communiquent, et c'est une suite nécessaire de leur excellence qu'elles ne puissent jamais être épuisées ni altérées par leurs émanations.

Il faudrait, avec vous, faire dériver le pouvoir absolu des rois de l'ancien droit des pères de familles, que notre principe n'en serait pas moins

---

112. En 175. Voir Dion Cassius (IIIe siècle), sénateur romain de langue grecque, unique pour comprendre le passage de la République romaine à l'Empire ; *Histoire romaine*, Livre lxxi. Le général Avidius Cassius, gouverneur de l'Orient romain, proclamé empereur par ses légionnaires au lendemain de sa victoire dans la guerre des Parthes, sera par la suite assassiné.

113. Voir Aristote, *Politiques* V, xii, 13 : « la tyrannie aime les gens vicieux, car les tyrans se plaisent à être flattés ; or, aucun esprit libre ne ferait cela ».

114. On peut objecter qu'il n'y a pas pour autant retour à *l'état de nature*, mais retour à la situation politique d'avant l'institution du gouvernement, lorsque les hommes se constituèrent en communauté politique.

intact. *Entre un royaume et une famille*, dit très bien Aristote, *la différence n'est pas seulement numérique, elle est encore spécifique.*[115] Quand les villages furent transformés en cités, cette royauté domestique dut nécessairement s'anéantir. Selon Diodore, *le sceptre fut anciennement transmis non aux enfants des premiers rois, mais à ceux qui avaient le mieux mérité du peuple.*[116] Justin nous dit encore *qu'originairement les rois ne parvenaient point à la couronne par une ambition populaire, mais à cause de leur modération qui les rendait recommandables aux gens de bien.*[117]

Dès l'origine des nations, un nouvel ordre de choses amena de nouveaux droits et le gouvernement paternel fut naturellement obligé de céder à l'autorité nationale.[118] C'est la cause la plus raisonnable qu'on puisse assigner de l'institution des empires ; car lorsque les hommes se réunirent en société, ce ne fut pas, sans doute, afin qu'un seul eût le pouvoir de nuire à tous ; mais afin qu'il existât des lois et des magistrats qui puissent prévenir ou redresser les torts d'individu à individu. Quelque homme éloquent et sage persuada jadis aux hommes d'abandonner la vie sauvage pour former une société civile. Vous prétendez que ce fut afin d'exercer sur eux un empire absolu ; cette opinion n'est appuyée sur aucune autorité. Tous les anciens auteurs disent au contraire que ces premiers législateurs ne songèrent nullement à se rendre puissants ; que dans l'institution des sociétés, ils ne considérèrent que l'avantage des hommes et le bienfait inappréciable de leur sécurité.

Plus nous nous rapprochons de la nature, plus nous trouvons que l'autorité du peuple est supérieure à celle des rois.

Il est donc impossible que le prince soit investi du pouvoir absolu par le peuple. Un roi n'a d'autorité que pour le maintien et le salut de la liberté publique. S'il cesse d'en prendre soin, ses droits deviennent absolument caducs [119] ; il ne peut s'en prévaloir en aucune manière, ou pour mieux dire, alors le peuple ne lui a rien donné ; car le peuple se propose nécessairement un but dans cette grande concession ; si ce but n'est pas

---

115. Aristote, *Politiques* 1252 a. (I, 1)
116. Diodore de Sicile, historien grec (Ier siècle av. J.-C.) ; *Bibliothèque historique* I, xliii, 6.
117. Justin, historien latin (IIe siècle) ; *Epitome Pompeii Trogi* I, 1, 1.
118. La conscience des nations n'existe pas à l'époque de Milton.
119. Le roi n'est pas roi en vertu de son institution, mais du lien téléologique, aucunement mystique, par lequel il est uni à son peuple.

rempli, la concession se trouve naturellement annulée et comme non ave-nue. [120]

Mais s'il est démontré que l'autorité du peuple est toujours supé-rieure à celle du roi, comment celui-ci ne pourrait-il pas être jugé, parce qu'il n'a ni pair ni supérieur dans son royaume ?

« Dans une démocratie, dites-vous, les magistrats, étant institués par le peuple, peuvent être punis de leurs crimes par le peuple. Dans une aris-tocratie, les sénateurs peuvent être punis par leurs collègues ; mais une pro-cédure criminelle contre un roi, dans son propre royaume, est une véritable monstruosité. »

Si votre raisonnement était juste, il faudrait en conclure que les peuples qui se donnent un roi sont les plus malheureux et les plus imbéciles.

Mais, dites-moi, je vous prie, si, dans une démocratie, le peuple a le droit de punir les magistrats ? Si, dans une aristocratie, les sénateurs ne sont point à l'abri des châtiments du peuple, pourquoi n'aurait-il pas, dans une monarchie, le droit de punir un roi prévaricateur ? Est-il d'une autre nature ce peuple que gouverne un monarque ? Pensez-vous que l'amour de la servitude ait gangrené tous ceux qui vivent sous une telle autorité, au point que pouvant être libres, ils préfèrent {d'}être serfs, {de} se mettre entièrement à la discrétion d'un prince, souvent pervers, plus sou-vent imbécile, sans que les lois ni la nature puissent leur offrir aucun refuge contre sa tyrannie ? Pourquoi donc imposent-ils des conditions à leurs rois ? Pourquoi prescrivent-ils des lois par lesquelles ils veulent être gouvernés ? N'est-ce que pour se préparer à eux-mêmes de plus grandes humiliations, et pour assurer à leurs tyrans des jouissances plus délicates ?

Comment imaginer que la volonté de tout un peuple soit de se dégra-der, de s'avilir, de faire abnégation de lui-même, de se livrer tout entier aux caprices d'un seul homme ? Pourquoi exigent-ils de leur roi le serment d'observer les lois ? Hélas ! N'est-ce que pour apprendre que les rois ont le privilège d'être parjures ? Telle est du moins votre conclusion impie : « Si un roi, dites-vous, promet sous la foi du serment, lors de son élec-tion, une chose sans laquelle on ne l'aurait peut-être pas élu, et que néan-moins il ne la remplisse point, il n'en est pas comptable envers le peuple,

---

120. Tout comme le mariage. Mon article, « Du Droit au Divorce au Droit des Peuples : la Logique politique miltonienne, » à paraître prochainement dans la revue *Études Théologiques & Religieuses*, examine l'analogie.

quand même il jurerait à ses sujets de les gouverner conformément aux lois du royaume. S'il ne le fait pas, il n'en est pas moins leur roi ; ils ne lui doivent pas moins de fidélité ; s'il rompt le serment qu'il leur a fait, c'est à Dieu seul qu'il appartient de lui en faire rendre compte. »

J'ai transcrit ce passage, non pour y faire une réponse (il se réfute assez lui-même par le caractère de réprobation que lui imprime l'excès de sa turpitude), mais pour que les rois connaissent la morale de leur apologiste. Il peut en résulter un grand avantage pour vous, Saumaise ! Plusieurs ont déjà des secrétaires, des échansons, [121] des bouffons ; peut-être la fantaisie prendra-t-elle à quelqu'un d'eux de vous donner auprès de lui l'intendance des parjures. Vous aurez dans votre département les trahisons, les perfidies, et vous goûterez enfin le plaisir de faire impunément de mauvaises actions, après avoir eu celui de faire de mauvais livres.

Mais écoutons un autre argument que vous nous donnez comme invincible.

« Pourquoi, dites-vous d'abord, les sujets ne peuvent-ils pas juger les rois ? C'est parce que les rois, étant législateurs, ne sont soumis à aucune loi ».

Nous avons déjà démontré la fausseté de cette proposition, et nous ajouterons seulement que si les rois sont rarement punis pour des délits privés, tels que la subornation, l'adultère, etc., ce n'est pas qu'ils aient le privilège de commettre impunément ces sortes de crimes ni qu'on puisse perdre le droit d'exercer sur eux la même justice que sur de simples particuliers ; mais en pareil cas, le peuple sacrifie la vindicte particulière aux intérêts de la chose publique ; il met en considération les désavantages qui pourraient résulter du dérangement de la paix sociale et des affaires s'il exerçait une justice rigoureuse. Cependant, lorsque ces délits se multiplient, lorsqu'ils deviennent un sujet de scandale et de désordre public, toutes les nations se sont accordées à reconnaître qu'ils pouvaient être légitimement punis... Mais voici l'argument de Saumaise :

« Le meurtre, l'adultère, et les autres crimes de cette nature sont des délits privés, et non pas des délits royaux. [122] Un roi, quoique adultère ou homicide, peut bien gouverner. Il ne doit donc pas être privé de la vie, parce

---

121. Officier d'une maison royale ou d'une seigneurerie ayant pour fonction de servir à boire à la table du prince.
122. Voir l'interprétation royaliste du *Deutéronome* 17, 14-20.

qu'en la perdant, il perdrait également la royauté, et il n'est pas dans l'esprit des lois divines ni des lois humaines de tirer une double vengeance du même crime »… Quel sophisme pervers ! Quelle infamie ! Ainsi donc, un magistrat coupable des crimes les plus énormes, pourvu qu'ils soient étrangers à son État, ne devrait pas non plus être puni parce qu'en perdant la vie, il perdrait aussi la magistrature ; et voilà ce que Saumaise appelle tirer une double vengeance d'un même crime !

Après avoir tâché d'enlever au peuple toute l'autorité souveraine pour en investir le roi, vous voudriez pareillement lui conférer la majesté suprême. Si vous ne parliez que d'une majesté secondaire et déléguée, nous serions parfaitement d'accord avec vous. Mais la majesté suprême ! Elle ne réside pas plus dans le prince que le pouvoir souverain, et par la même raison que vous n'avez pas pu établir la première proposition, vous ne prouvez pas mieux l'autre. Le prince, selon vous, ne peut devenir coupable du crime de lèse-majesté contre le peuple ; mais le peuple peut le devenir contre le prince. Cependant, pour qui le roi est-il roi ? N'est-ce pas uniquement pour la nation ? Est-ce, au contraire, pour le roi que la nation est ce qu'elle est ? Il faut donc que la nation entière, ou la majorité de cette même nation, ait un pouvoir supérieur à celui du roi.

Pour nier cette proposition, vous recourez au calcul. *Le roi*, dites-vous, *a plus de pouvoir qu'un seul, que deux, que trois, que dix, que cent, que mille, que dix mille.* ~ soit. ~ Que la moitié de la nation. ~ À la bonne heure. ~ Si à cette moitié l'on joint l'autre, n'aura-t-il pas plus de pouvoir que le tout ? ~ Nullement ; mais poursuivez, habile calculateur. Pourquoi vous arrêter en si beau chemin ? Ignorez-vous les progressions arithmétiques ?… Eh ! Ne voilà-t-il pas, en effet, que vous cherchez si *le roi n'aurait pas plus de pouvoir en s'unissant avec les nobles…* Certes, je le nie, si par *nobles* vous entendez uniquement les grands ; car il peut arriver qu'aucun d'entre eux ne mérite ce nom, tandis que chez les plébéiens[123] un grand nombre de citoyens se distinguent par un mérite éminent ; et cette classe étant et la plus nombreuse et la meilleure, n'est-ce pas en elle que consiste la nation ? *Mais si le roi n'a pas une autorité supérieure à celle de l'universalité, il n'est donc que le roi des individus, il ne l'est pas de toute la*

---

123. Chez Milton, il s'agit des membres de la classe moyenne, à l'abri des excès – richesse / pauvreté.

nation. ~ Vous l'avez dit, à moins que la nation ne soit contente d'être gouvernée par ce roi. À cette seule condition, il peut régner.

Vous demandez ce que nous entendons par le mot *peuple.*[124] Eh bien ! Sachez que par le mot *peuple*, nous entendons uniquement les communes, *la chambre des Lords étant supprimée* ; nous comprenons tous les citoyens indistinctement sous la dénomination de peuple, puisque nous n'avons qu'un suprême sénat, où les nobles peuvent voter comme les autres citoyens, non par un droit qui leur soit particulier comme autrefois, mais en qualité de représentants des municipalités qui ont bien voulu les élire.

Mais, selon vous, *le peuple est aveugle, abruti, il ne sait point l'art de gouverner ; rien n'est plus léger, plus vain, plus inconstant...* Saumaise ! Les apôtres du despotisme reprochent sans cesse aux peuples les maux qu'il leur a faits ; pour calomnier l'espèce humaine, ils lui imputent ses malheurs à crime. Mais après tout, de qui parlez-vous ? De la populace sans doute ? Eh ! Qui peut douter que dans la classe moyenne[125] du peuple se trouvent les hommes les plus sages et les plus instruits ? Quant aux autres classes, le luxe et la tyrannie d'un côté, la misère et l'oppression de l'autre, [elles][126] éteignent le plus souvent toute vertu, et retiennent ceux qui les composent dans une éternelle ignorance des droits et des devoirs de toutes connaissances utiles.

« Il existe, selon vous, différents moyens de parvenir à la royauté sans l'intervention du peuple, tels que d'hériter d'un royaume, etc. ; s'il est des nations qui se regardent en effet comme la propriété d'un seul homme, comme son héritage patrimonial, et qui croient lui appartenir par droit de succession, sans qu'il soit besoin de leur propre consentement, ces nations doivent certainement être esclaves, et nées pour l'esclavage. Elles ne méritent point le nom de sujets ni d'hommes libres ; on ne doit pas même les compter parmi les sociétés civiles ; elles ne peuvent être regardées que comme les immeubles[127] de leur maître ; car je ne vois aucune différence entre le droit de propriété qu'il a sur elles et celui qu'il pourrait avoir sur de vils animaux.

Vous parlez ensuite « de ceux qui obtiennent la couronne par des

---

124. C'est un point essentiel de la controverse.
125. FR. : L'original dit : « la classe mitoyenne. »
126. FR. : [elles] a été rajouté pour rétablir l'équilibre syntaxique.
127. FR. : biens immeubles.

conquêtes et qui ne peuvent pas reconnaître avoir reçu du peuple le pouvoir qu'ils usurpent. » Il n'est pas question ici d'un roi conquérant, mais d'un roi conquis. Nous traiterons ailleurs, et quand vous voudrez, de cette question facile à résoudre ; aujourd'hui, ne sortons pas de notre sujet.

****

CHAPITRE VIII

« Si, par une faction des grands, ou par quelque sédition populaire, les rois perdent une partie de leurs droits, leurs successeurs ont toujours la liberté de les réclamer. » Eh bien ! Saumaise, appliquez votre propre principe : si nos ancêtres ont souffert qu'on empiétât sur leurs droits, cette conduite de leur part pourrait-elle préjudicier aux nôtres ? S'ils ont bien voulu se rendre esclaves eux-mêmes, ont-ils pu prendre le même engagement pour nous, et, dans tous les cas, serions-nous tenus de les ratifier ? S'ils eurent le droit de se rendre esclaves, n'aurions-nous pas celui de nous affranchir ? [128]

« Mais quoi ! S'obstinera-t-on donc à ne voir qu'un magistrat dans le roi d'Angleterre, tandis que tous les autres rois sont investis d'une autorité libre et absolue ? » C'est une étrange doctrine que la vôtre, ô Saumaise ! Consultez Buchanan sur les prérogatives du roi d'Ecosse[129] ; Hotoman,[130] Girard [131] et tant d'autres sur celles du roi de France[132] ; tous les savants

---

128. Les dispositions politiques antérieures à une génération ne sauraient lier celle-ci pour son avenir.
129. George Buchanan, *De Juri apud Scotos* (Edimbourg, 1582).
130. Au lendemain du massacre de la St-Barthélémy, François Hotman (1524-1590), juriste calviniste, écrit la *Franco-Gallia* (1573). Si nombre de juristes étayent l'absolutisme monarchique sur un corpus hétéroclite de doctrines héritées d'un droit romain anachronique, ainsi que de notions de droit canon, notamment celle de théocratie pontificale, les Monarchomaques (étymologiquement *ceux qui combattent le souverain*) s'attaquent au despotisme des monarques absolus.
131. Bernard de Girard (c. 1535-1610), historiographe. Auteur de l'*Histoire de France* (1576-1627) de Pharamond à Charles VII, où la littérature, la recherche de l'effet, les intentions courtisanes et l'orgueil national l'emportent sur l'objectivité historique.
132. Comme Théodore de Bèze (1519-1605), *Du droit des magistrats sur leurs*

131

sur le droit public des autres nations, et cherchez-y quelques traces de cette indépendance arbitraire dont vous composez le domaine des rois. ~ *Mais ils disent tous qu'ils règnent par la grâce de Dieu.* ~ Et pourquoi ne se disent-ils pas Dieux eux-mêmes ? Vous seriez bientôt au nombre de leurs prêtres.

Enfin, vous nous demandez pourquoi, dans nos statuts, nous donnons au roi le titre de *notre seigneur* : comme si vous ignoriez que plusieurs sont appelés seigneurs et maîtres sans qu'il le soient réellement ! Comme s'il n'était pas absurde de juger du droit et de la vérité par des titres d'honneur, pour ne pas dire de flatterie ! De ce qu'on donne au parlement [133] le nom de *parlement du roi* ; prétendez-vous qu'en effet il appartienne au roi ? Mais on l'appela aussi *frein du roi* ~ le roi n'en est donc pas plus le maître qu'un cheval ne l'est de sa bride,[134] pourquoi ne serait-il pas le parlement du roi, puisque c'est le roi *qui le convoque* ? ~ Un consul avait aussi le droit de convoquer le sénat ; cependant le sénat ne lui appartenait pas. Lors donc que le roi convoque le parlement, c'est pour l'acquit des fonctions dont le peuple l'a chargé ; c'est pour s'occuper avec le parlement des affaires publiques et non des siennes. Si quelquefois il en est question, ce n'est qu'après que les autres sont terminées. Il n'est pas libre au roi d'exiger qu'on s'en occupe, et ceux que cette matière intéresse savent qu'anciennement, convoqué ou non convoqué, le parlement pouvait, en vertu de la loi, s'assembler deux fois l'année. Eh ! Dans quelle erreur

---

subjets (1575), souvent relié à François Hotman. Leur doctrine aboutit à la conclusion que la finalité de l'État réside dans la prospérité des membres du corps social. Celui-ci consent au roi sa couronne dont l'autorité reste de droit divin, et délègue aux magistrats et officiers de la couronne la souveraineté populaire. La rébellion contre la tyrannie est par conséquent non seulement nécessaire, mais de droit divin.

(133) Il est inutile de dire que par ce mot de parlement, Milton n'entend, et que dans tout le cours de cet écrit il n'entendra que l'assemblée nationale et non ces corps mi-politiques et mi-judiciaires dont l'existence amphibie et monstrueuse n'a été connue que dans la désorganisation de la despotie * française. ~ *Note du traducteur.* NDR : Ces corps sont les Parlements régionaux ; * : barbarisme.

134. Claude de Seyssel (1450-1520), conseiller d'état de Louis XII, ambassadeur auprès d'Henri VII, roi d'Angleterre ; *La Grant Monarchie de France* (Lyon, 1519), présentation géopolitique de la France pour François Ier : « Et pour parler desdits freins par lesquels la puissance absolue des rois de France est réglée, l'[on] en trouve trois principaux : le premier est la religion, le second la justice, et le tiers la police. » (p. 12) ; voir *Carnet* 4 : 458.

ne tombez-vous pas, lorsque vous soutenez qu'en l'absence du parlement *le roi gouverne pleinement et universellement par sa seule autorité ?* Peut-il donc interrompre le cours de la justice ? Les juges ne font-ils pas le serment de ne se régler que sur les lois, et de n'avoir égard ni à la parole du roi, ni à ses mandats, ni à des lettres munies de son sceau, si elles leur ordonnaient le contraire ? De là vient que nos lois donnent souvent au roi l'épithète *d'infans*, et [qu'elles] le comparent à un pupille relativement à ses droits et à ses dignités.[135]

Telle est encore l'origine de cette expression proverbiale parmi nous : *le roi est impeccable*,[136] expression que vous interprétez avec une mauvaise foi qui tient de la scélératesse, en disant qu'il n'est point peccable parce qu'il n'est pas susceptible d'être puni.

Vous dites qu'il n'est fait aucune mention du parlement avant le règne de Guillaume le conquérant,[137] et déjà vous aviez soutenu que, sous nos anciens rois anglo-saxons, il n'y eut jamais d'assemblée nationale, erreur qui ne peut que faire sourire tout Anglais instruit.[(138)] Mais, quant à l'autre assertion, peu nous importe le mot. La chose existait incontestablement. Vous-même convenez qu'il est parlé d'un *conseil de sages* sous les rois anglo-saxons. Or nierez-vous qu'il ne se trouve des hommes sages parmi les communes aussi bien que parmi la noblesse ?

Mais dans les statuts de Merton rédigés la vingtième année du règne d'Henri III, il n'est question que des comtes et des barons.[139] ~ Un homme qui a passé sa vie à apprendre des mots sera-t-il toujours la dupe des

---

135. Andrew Horn (+ 1328), *La somme appelle Miroir des iustices*, Londres, 1642 ; p. 271. Ce livre, bien que souvent considéré comme factice, jouit d'une grande popularité grâce au juriste Edward Coke (1552-1634), partisan de la souveraineté de la *common law* sur les prérogatives royales.
136. « A King can do no wrong. » (Le roi ne peut mal agir)
137. Après des arguments provenant de l'Ecriture, de la loi de nature ou de la raison, Milton va chercher des arguments dans l'histoire de l'Angleterre.
(138) Voyez pag. 65. NDR : Les historiens affirment que dans la mesure où l'existence d'une Chambre des Communes est antérieure à 1189, date de l'intronisation de Richard Iᵉʳ, elle est d'*institution immémoriale* – au regard de la loi.
139. Toute première loi du Parlement d'Angleterre (1235). Source : Edward Coke, *Second part of the Institutes*, 79-100. Elle prévoyait que le propriétaire puisse clôturer ses champs s'il avait préservé suffisamment de terre commune pour les besoins en pâture du cheptel des *commoners*.

mots ? Eh ! Qui ne sait qu'à cette époque[140] les magistrats des villes, et même les négociants, étaient quelquefois appelés *barons* ? Et certainement, on pouvait avec bien plus de raison appeler barons les membres du parlement, quelque plébéiens qu'ils fussent. Les statuts de Marlbridge[141] et presque tous les autres déclarent expressément que la cinquante-deuxième année du règne de ce même roi, les communes furent aussi bien convoquées que la noblesse, et même Édouard III dans le préambule des *statute-staple*[142] donne le nom de *grands des comtés* à ceux qui en étaient les représentants, et qui constituaient la chambre des communes. Cependant ils n'étaient point des lords, puisque les lords ne pouvaient pas représenter les communes. En général, dans les livres de nos anciennes lois, les communes étaient comprises sous le mot barons, et même de pairs, du parlement. *On choisira*, dit un livre[143], plus ancien que tous les statuts que nous avons cités, *on choisira quinze pairs dans le royaume ; [à] savoir, cinq chevaliers, cinq citoyens ou députés des villes, et cinq bourgeois. La voix de deux chevaliers d'un comté, lorsqu'il s'agira d'accorder ou de refuser, l'emportera sur celle du premier comté d'Angleterre ;* et il est raisonnable que cela soit ainsi ; car ils votent pour tout un comté, tandis que les comtes ne votent que pour eux-mêmes.

Le livre que nous rappelons ici, et dont le titre est : *Manière de tenir*

---

140. Omission de : « les gardiens des cinq ports. » (*CPW* 4 : 484)

141. 1267. « Toute personne, de haute comme de basse condition, recevra la justice dans la cour du roi » — « in curia domini regis. » « Ces mots, » précise en notes Edward Coke, « sont d'une grande importance, car toutes les affaires doivent être entendues, ordonnées et jugées devant les juges des cours du roi, où tout le monde peut se rendre ; et non plus dans un cabinet ou autre endroit privé. » (*Second part of the Institutes, op. cit.*, 103-4)

142. 27 Édouard III : Statut d'Etaples (1353). Cette loi créait des juridictions séparées pour le règlement des différends commerciaux, plus particulièrement pour les différends portant sur les articles de première nécessité que le roi souhaitait promouvoir.

(143) Modus habendi parliamenta. NDR : Mirabeau fait un bond de sept pages pour regrouper les citations de William Hakewill, *Modus Tenendi Parliamentum* (Londres, 1660), 19-20. Rédigé fin XIIIe-début XIVe, il dit que pour « les affaires difficiles », l'on devait choisir vingt-cinq personnes parmi les pairs du royaume (Mirabeau les réduit à quinze). Ces 25 pairs, une fois désignés, pouvaient normalement déléguer leur responsabilité à douze jurés choisis en leur sein.

144. Insistance sur la non-représentativité de la Chambre des Lords.

Parlement, nous dit que les communes et le roi peuvent *tenir parlement*, et que leurs décisions ont force de loi, malgré l'absence des lords et des évêques ; mais qu'il n'[en] est pas de même des lords et des évêques en l'absence des communes. L'auteur nous donne la raison de cette différence : « c'est, dit-il, parce que les communes existaient et formaient des assemblées nationales avec les rois, longtemps avant qu'il fût question de lords ni d'évêques. D'ailleurs, les lords n'assistent au parlement que comme particuliers et pour leurs propres intérêts,[144] tandis que les membres des communes représentent les comtés, les villes et les bourgs qui les ont députés ; par conséquent, ils représentent la nation, et à cet égard, ils méritent une tout autre considération que la chambre des pairs. » [(145)]

Mais la chambre des communes, dites-vous, *n'a jamais eu le pouvoir de juger.* Le roi ne l'a pas non plus.[146] Cependant, rappelez-vous qu'originairement tous les pouvoirs particuliers sont provenus du peuple, et qu'ils en proviennent encore. C'est ce que Cicéron observe très bien dans son discours sur la loi agraire : « comme il a fallu, dit-il, que tous les genres de pouvoir, d'autorité, d'administration provinssent du peuple, il faut aussi que tout ce qu'on exécute d'après ces institutions tende au bien commun et à l'intérêt de tous. C'est ce principe qui doit régler les élections. Que chacun donne sa voix à celui dont il croira que l'élection sera la plus avantageuse au peuple, de manière qu'il puisse s'en promettre lui-même un avantage particulier. » [(147)]

---

(145) Ce passage est si singulier dans les circonstances que j'ai cru devoir non seulement le traduire littéralement, mais encore rapporter en note le texte de Milton.
« Besides, a book more ancient than those statutes, called, *modus habendi parliamenta*, id est *The manner of holding parliaments*, tells us, that the king, and the commons may hold a parliament, and enact laws, tho[ugh] the lords, the bishops, are absent, but that with the lords, and the bishops, in the absence of the commons, no parliament can be held. And there's a Reason given for it, *Viz.* Because kings held parliaments and Councils with their people before any lords or bishops were made ; besides, the lords serve for themselves only, the commons each for the county, city, or burrough that sent them. And that therefore the commons in parliament represent the whole body of the nation ; in which respect they are more worthy, and every way preferable to the house of peers. »
NDR : Voir William Hakewill, *op. cit.*, 25-26.
146. Milton insiste sur la séparation des pouvoirs. Cependant, les Lords, écartés *infra*, constituaient la plus haute juridiction du royaume.
(147) Cùm omnes potestates, imperia, cúrationes ab universo populo proficisci

Puisqu'il est évident que le pouvoir de juger appartient d'abord au peuple, et que les Anglais ne l'ont transmis par aucune loi à leur monarque, il ne l'est pas moins que le peuple en est toujours en possession. Car, ou il n'a jamais été donné à la chambre des pairs, ou s'il l'a été, vous ne nierez pas qu'on ne puisse le lui retirer.

Mais le roi, dites-vous, *peut faire d'un village un bourg, d'un bourg une ville ; il crée donc ceux qui forment la chambre des communes.* Je réponds que les villes et les bourgs sont plus anciens que les rois, et que le peuple est toujours le peuple ; vécût-il au milieu des champs.

Vous faites une longue dissertation pour nous prouver que les comtes et les barons ont été créés par les rois. Vous pouviez vous épargner cette peine, car nous ne les avons jamais crus d'institution naturelle et incréée ; nous savons que ce sont les créatures et par conséquent les esclaves de la cour.[148] Aussi avons-nous pris soin qu'à l'avenir, ils ne fussent pas les arbitres d'un peuple libre.

« Il vous reste, dites-vous, un argument invincible pour prouver que le pouvoir des rois d'Angleterre est supérieur à celui du parlement : l'autorité du roi est perpétuelle et ordinaire. Seul il gouverne sans le parlement ; mais le pouvoir du parlement est extraordinaire, il est soumis à des époques, et il ne peut rien sans le roi ».[149]

Toute la force de cet argument réside dans les mots *perpétuel et ordinaire.* Mais les magistrats inférieurs que nous appelons *juges de paix* ont un pouvoir perpétuel et ordinaire ; en conclurez-vous qu'ils ont le pouvoir souverain ? Encore une fois, le roi ne tient son autorité du peuple que pour veiller à l'observation des lois, et non pas pour lui imposer ses volontés personnelles comme des lois : le pouvoir du roi n'est donc rien hors de ses cours ; c'est même le peuple qui a l'exercice du pouvoir ordinaire,

---

convenit, tum eas profectò maximè *;* quæ constituuntur ad populi fructum aliquem et commodum ; in quo et universi deligant quem populo maximè consulturum putent, et unusquisque studio et suffragio suo viam sibi ad beneficium impetrandum munire possit ».

NDR : Cicéron, *De la loi agraire* II, vii, 17.

148. Là encore, il s'agit d'un habile retournement. Milton avait besoin de prouver que le Parlement a été créé avant le roi ; dans *Le Mandat des Rois & des Magistrats* (1649), il écrit que le Parlement fut institué dès lors que le roi / les magistrats eurent abusé de leur pouvoir.

149. Le Parlement, en effet, était convoqué selon le bon vouloir du roi.

puisque ce sont douze jurés qui terminent tous les différents![150] Aussi, lorsqu'on interroge un accusé, quand on lui demande par qui il veut être jugé, il répond toujours : *par les lois de mon pays* ; il ne répond pas : *par les lois du roi*.[151]

Mais l'autorité du parlement, qui, dans toute la force du mot, est le pouvoir souverain du peuple commis au sénat, ne peut être appelée extraordinaire qu'en raison de son excellence et de sa supériorité. Si elle n'est pas formellement perpétuelle sur toutes les autres magistratures, elle l'est virtuellement et indépendamment du monarque.

Cependant, afin qu'on ne m'accuse pas de témérité en parlant des droits des rois, ou plutôt de ceux du peuple, relativement à ses princes, je vais rappeler quelques passages de nos anciens historiens, qui prouveront qu'en faisant le procès au roi Charles, le peuple anglais s'est conformé parfaitement aux lois du royaume et aux coutumes de ses ancêtres.[152]

Quand les Romains eurent abandonné cette île, les Bretons vécurent près de quarante années sans se donner un roi. Ils en élurent ensuite, et en firent périr quelques-uns. Gildas le leur a reproché ; mais non pas dans le même sens que vous. Il ne les blâme point de les avoir fait périr parce qu'ils étaient rois, mais parce qu'ils n'avaient pas été jugés, et pour me servir de ses expressions, *non pro veri examinatione,* sans avoir examiné s'ils méritaient effectivement la mort.[153]

Vortigerne, ainsi que nous l'apprend Nennius, le plus ancien de nos historiens après Gildas, fut condamné dans une assemblée nationale pour son mariage incestueux avec sa fille, et son fils Vortimer fut mis à sa place.[154] Cet événement arriva peu de temps après la mort de Saint-Augustin, et voilà, pour le dire en passant, comme il faut croire votre assertion qu'avant le pape Zacharie *on ne s'était pas permis de*

---

150. Les douzes jurés : voir n. 143 ; se reporter à l'Introduction, n. 72.
151. L'original dit : « il répond , en accord avec la loi et la coutume, « Par Dieu et par le peuple », et non par Dieu et le *roi*, ou le *vicaire du roi*. » (*CPW* 4 : 487-88)
152. Après l'argumentation juridique, Milton revient à l'histoire anglaise.
153. Gildas (504-70), auteur d'une *History of Britain*, est le plus ancien auteur britannique. Cf. Chapitre XXI : « les rois étaient mis à mort par ceux qui les avaient élus sans que l'on cherche à savoir s'il l'avait mérité, mais parce de plus cruels qu'eux étaient choisis pour leur succéder. »
154. Nennius, *Historia Brittonum*, XXXIX. Source majeure de la légende arthurienne, que Milton projetait de réécrire. Voir *Histoire de la Grande-Bretagne* 5 : 150.

juger les rois, que ce pontife fut le premier qui tint pour légitimes ces sortes de condamnations.

Vers l'an six cents de notre seigneur, Morcantius, qui régnait dans le pays de Galles, fut condamné à l'exil par l'évêque Odecenus pour avoir tué son oncle.[155] Mais il évita cette condamnation en donnant quelques terres à l'église.

Enfin, nous arrivons aux Saxons, dont les lois nous restent encore, ce qui me dispense de citer leurs annales. Les Saxons provenaient des Germains, peuple qui n'accorda jamais à ses rois un pouvoir absolu, mais qui délibérait en commun sur les affaires les plus importantes du gouvernement ; d'où il est aisé de voir que si le nom de *parlement* n'était pas connu du temps de nos ancêtres les Saxons, la chose n'en existait pas moins, et que l'autorité souveraine résidait dans ce congrès auquel on donnait le nom *d'assemblée de Sages*.

Bède nous apprend que le roi Éthelbert promulgua des lois à l'exemple des lois romaines, *cum concilio sapientium*, avec l'assemblée des sages.[156]

Edwin, roi de Northumberland, en fit de même, et Ina, roi des Saxons occidentaux, publia de nouvelles lois de la même manière.[157] Enfin, le roi Alfred fit aussi des lois avec les Sages ; *elles doivent être observées*, dit ce grand prince, *parce qu'elles ont reçu la sanction de tous*.[158]

Des hommes, choisis parmi les communes, formaient donc l'assemblée nationale et souveraine ; car les nobles n'avaient pas plus qu'aujourd'hui le privilège exclusif de la sagesse.

Un très ancien livre, intitulé *le Miroir des Justices* (159), nous apprend qu'après la conquête de la Grande Bretagne, lorsque les Saxons élurent des rois, ils leur firent jurer de se soumettre à être jugés par les lois comme

---

155. Morcant Bulc, roi de Bryneich - Pays de Galles (VIIe siècle) ; Oudoceus, évêque de Llandaff.
156. Bède le Vénérable (673-735), moine catholique, auteur de *Histoire ecclésiastique du peuple anglais* ; II, v. Voir *Histoire de la Grande-Bretagne* 5 : 196.
157. Edwin, roi de Northumbria, converti au christianisme en 625 ; pour Ina, roi de Wessex (694-728), il serait le premier à avoir légué à la postérité des lois saxonnes ; voir *Carnet* 1 : 425 ; *Histoire de la Grande-Bretagne* 5 : 228.
158. Alfred (849-87) serait le fondateur de la *comman law*. Voir *Carnet* 1 : 426.
(159) *Mirror of justices*. (*Speculum justitiae*) NDR : Andrew Hornes, *op. cit.* (1642) I, ii.

leurs sujets.[(160)] On lit, dans le même ouvrage, qu'il est juste *que les rois aient leurs pairs au parlement, afin que ces mêmes pairs puissent prendre connaissance des délits dont le roi ou la reine pourraient se rendre coupables.*[(161)] On y trouve aussi que, sous le règne d'Alfred, on fit une loi qui portait *que le parlement s'assemblerait deux fois l'année à Londres, et plus souvent si le cas l'exigeait,* et cette loi étant tombée en désuétude, elle fut rétablie *sous Édouard III.* [162]

Dans un autre ancien manuscrit intitulé : *Manière de tenir parlement,* nous lisons que *si le roi dissout le parlement avant qu'il ait terminé les affaires pour lesquelles il l'a convoqué, il se rend coupable de parjure et doit être réputé comme ayant violé le serment qu'il a fait lors de son couronnement ;* [163] car il jure d'agréer les lois justes que le peuple aura choisies, et comment pourra-t-on dire qu'il les agrée, s'il empêche le peuple d'en faire le choix, soit en convoquant le parlement plus rarement, soit en le faisant dissoudre plus tôt que les affaires publiques ne l'exigent ou le permettent ? Et ce serment que le roi d'Angleterre fait lors de son couronnement, nos plus habiles jurisconsultes le regardent comme la loi la plus sacrée. Quel remède en effet pourrait-on trouver aux grands maux de l'État, qui nécessitent la convocation du parlement, s'il était permis à un roi souvent imbécile ou opiniâtre de le dissoudre à sa volonté ? Oui, je n'y mets point de doute, nos rois sont moins coupables de s'absenter du parlement qu'ils ne le seraient de le dissoudre. Et cependant, par nos lois, rapportées dans l'ouvrage que je viens de citer, *le roi ne doit ni ne peut s'absenter du parlement, s'il n'est pas malade ; encore faut-il que les douze pairs se soient assurés de son état pour en certifier l'assemblée…* Voilà nos formes antiques : des esclaves agissent-ils ainsi vis-à-vis de leur maître ? Les communes, au contraire, sans lesquelles il n'est point de parlement, peuvent ne pas se rendre, bien que convoquées par le roi, et après s'être ajournées, rechercher [164] le roi pour la mauvaise administration de l'État.

---

(160) Chap. 1. Sect. 2. NDR : Id..
(161) Ibid. NDR : En fait, I, iii.
162. Source inconnue.
163. Cette idée n'est pas dans William Hakewill, *op. cit.* Le serment en question figure dans *La Troisième Remontrance du Parlement* (26 mai 1642).
164. FR. : poursuivre.

Mais veut-on une autorité plus décisive et plus mémorable ? Parmi les lois faites sous le règne d'Edouard, vulgairement appelé le Confesseur, il s'en trouve une relative à l'office de roi, qui porte *que si le monarque ne s'en acquitte pas comme il le doit, IL N'AURA PLUS LE NOM DE ROI,*[165] et de peur que ces paroles ne fussent pas bien entendues, on y a joint l'exemple de Childéric, roi de France, que le peuple déposa par cette seule raison.

Guillaume le Conquérant, dans la quatrième année de son règne, ratifia cette même loi ainsi que plusieurs autres de ce bon prince Édouard ; et il les confirma par un serment solennel dans une assemblée nationale tenue près de Verulam. Par là, non seulement il éteignit son droit de conquête, si toutefois il en avait [quelqu']un[166] sur nous ; mais encore, il se soumit lui-même à être jugé selon la teneur de cette même loi. [167]

Son fils Henri[168] jura d'observer ces mêmes lois du roi Édouard, et ce ne fut qu'à cette condition qu'il fut élu roi, du vivant même de son frère aîné Robert.

Enfin, tous les rois qui lui ont succédé ont prêté le même serment avant d'être couronnés. C'est ce qui fait dire à notre ancien et célèbre jurisconsulte Bracton[(169)] *qu'il n'est point de roi si sa volonté règne sans la loi,* et ailleurs :[(170)] *un roi n'est roi qu'autant qu'il gouverne bien ; il devient tyran du moment où il opprime.*

---

165. *Leges Edwardi Regis,* in William Lambarde, *Archaionomia* (1568 ; réeD 1654), Fol. 131 : « Rex autem quia vicarius summi regis est, ad hoc est constitutus, vt regnum terrenum, & populum domini, & super omnia Sanctam veneretur ecclesiam eius, & regat, & ab iniuriosis defendat, & malefiscos ab euellat, & *destruat, & penitus disperdat.* Quod nisi secerit, nec nomen regis in eo constabit, verum testante papa Ioanne nomen regis perdit, » avant de citer l'exemple de Pépin (Cf. *infra*). Le roi perd le nom de roi aux yeux du pape : or, l'Angleterre avait divorcé d'avec Rome en 1534 ; le roi était chef de l'Eglise anglicane : pouvait-il se renier ?
166. FR. : Le français moderne dirait « un » au lieu de « quelqu'un. »
167. *Carnet* 1 : 427-28. Voir Ralph Holinshed, *Chronicles of England, Scotlande, and Irelande* (1587) ; III, 181, 183. Cet énorme livre a servi d'inspiration à Shakespeare pour ses propres pièces.
168. Henri Ier d'Angleterre (1100-35) avait spolié le trône à son frère Robert II Courteheuse ; in John Speed, The historie of Great Britaine vnder the conquests of the Romans, Saxons, Danes and Normans (1623), 2nd ed., 447.
(169) I. Livre, chap. 8. NDR : Henri de Bracton (c. 1210-68), juge, homme d'Eglise. Auteur de *De Legibus et Consuetudinibus Angliae* (c. 1256) ; réed. John Selden, 1640.
(170) III. Livre, 9. NDR : *De Legibus et Consuetudinibus Angliae, op. cit.*

Un autre ancien jurisconsulte, auteur de l'ouvrage intitulé *Fleta*, soutient la même doctrine.[171] Tous deux rappellent cette loi vraiment royale d'Edouard ; cette maxime fondamentale de notre législation, *de ne pas regarder comme une loi ce qui serait contraire à la raison ;* comme, par exemple, *de ne pas mettre de différence entre un tyran et un roi.* Car, si nous sommes tenus d'obéir à un roi, par la même loi, par la même raison, nous devons résister à un tyran. Et comme les contestations naissent plus souvent des mots que des choses, les mêmes auteurs nous disent qu'un roi d'Angleterre, quoiqu'il n'ait pas perdu le nom de roi, n'en est pas moins susceptible d'être jugé, et qu'il doit l'être comme le dernier de ses sujets.[172] *Nul homme ne doit être plus grand que le roi, mais lui-même, s'il délinque, (si peccat) il doit être aussi petit que le dernier citoyen, en recevant son jugement.* Or, puisque nos rois sont susceptibles d'être jugés, il n'est pas difficile de leur assigner des juges légitimes. Consultez les mêmes auteurs.[173] *Nos rois ont des supérieurs dans le gouvernement : la loi par laquelle ils règnent, et leur cour, c'est-à-dire les comtes et barons ; on les appelle comtes, ce qui signifie Compagnons ou Associés du Roi, et quiconque a des associés a un maître : si le roi voulait donc n'avoir aucun frein, c'est-à-dire ne pas gouverner par la loi, c'est aux comtes à le brider.*

Nous avons suffisamment montré que les communes étaient comprises sous le mot *comtes* et *barons*.[174] Il est bien évident d'ailleurs que les comtes patentés, que vous appelez comtes à brevet, ne pouvaient pas être juges du roi dont ils étaient les créatures. Or, puisque, d'après nos lois, nos rois ont leurs pairs dans le parlement, qui peuvent prendre connaissance de leurs prévarications, et puisqu'il est généralement connu que les moindres citoyens doivent même dans les cours inférieures obtenir justice contre le roi lorsqu'ils se trouvent lésés dans leurs intérêts, combien est-il plus conforme à la justice, que dis-je, de quelle nécessité plus urgente n'est-il pas, que si le roi venait à opprimer tout son peuple, il se trouvât une autorité qui eût le droit non seulement de le contenir dans les bornes des lois, mais même de le juger et de le punir ? Car ce serait sans

---

171. Fleta, seu, Commentarius juris anglicani (c. 1290 ; réed. John Selden, 1647) est en fait une compilation du *De Legibus et Consuetudinibus Angliae* précité.

(172) Bracton, Liv. I. chap. 8. Fleta, Liv. I. chap. 17.

(173) Bracton, Liv. I. chap. 16, Fleta, Liv. I. chap. 17.

174. Aussi les barons ne désignaient-ils pas spécifiquement les Lords. Les barons avaient été créés par Guillaume Ier, dit le Conquérant (1066).

doute un gouvernement détestable et monstrueusement constitué que celui dans lequel on aurait pris soin de remédier aux légers torts que le prince pourrait faire aux simples particuliers, tandis qu'on aurait négligé le salut de tous. Le comble de l'absurdité serait que celui qui, par la loi, ne peut attenter aux droits d'aucun citoyen, pût en même temps les opprimer et les détruire collectivement. Et c'est bien ici que se retrouve, dans toutes ses conséquences, ce principe de la loi écrite déjà citée, « que sans les lords et les évêques, les communes avec le roi forment un parlement légal, parce que les rois tenaient parlement avec les communes seulement, avant l'existence des lords et des évêques ».[175] Il s'ensuit incontestablement que les communes ont le pouvoir souverain sans le roi, et le droit de juger le roi lui-même, dont il ne serait ni juste ni convenable que les lords fussent les juges.[176]

Eh! Les communes, en effet, n'existaient-elle pas avant les rois? Ne formaient-elles pas des assemblées? Ne faisaient-elles pas des lois? N'ont-elles pas enfin élu un roi, non pour dominer le peuple, mais pour administrer les affaires publiques?[177] Si au lieu de remplir une aussi belle tâche, il opprime ceux qu'il doit gouverner, s'il cherche à les asservir, nos lois ont déclaré d'avance qu'il n'était plus roi. S'il n'est plus roi, qu'avons-nous besoin de lui chercher des pairs? Une fois reconnu pour tyran par tous les bons citoyens,[178] tous deviendront ses pairs, tous auront le droit de le juger et de prononcer sa condamnation.

Les autorités, les lois écrites, la raison, la nature crient donc à l'envi que les rois d'Angleterre peuvent être jugés par les lois anglaises, et qu'ils sont des juges légitimes; que les communes de la Grande-Bretagne ont le droit de faire le procès du roi, et puisque Charles ne donnait aucun espoir d'amendement, elles l'ont justement condamné au dernier supplice pour les crimes dont il s'était rendu coupable envers la patrie; elles n'ont rien fait qui ne fût conforme aux intérêts de l'Etat, à leur propre mission et aux lois de

---

175. Tour de force. En 2 étapes, Milton écarte les Lords de la définition de *barons / comtes*. Ces termes englobaient d'abord les Communes; ils ne s'appliquent désormais qu'à elles seules.
176. Conséquence logique de la réflexion sur le Parlement. À noter que l'original dit « comtes » au lieu de « lords. » (*CPW* 4 : 494)
177. Milton était auparavant d'avis que le Parlement avait été créé pour contenir, « limiter, [ou] confiner l'exorbitance des rois. » (*Eikonoklastes* 4 : 462)
178. Et non par l'ensemble des citoyens que représente le Parlement.

l'Angleterre.[179] Comment ne pas se féliciter d'appartenir à une nation dont les ancêtres fondèrent un gouvernement aussi libre, aussi sagement combiné ? Et si les choses d'ici-bas peuvent encore toucher ceux qui ne sont plus, je ne doute point que nos dignes ancêtres n'applaudissent à la sagesse et au courage de leurs descendants qui, presque réduits en servitude, ont su briser leurs fers et raffermir à jamais l'indépendance de leur constitution.

****

CHAPITRE IX

UNE fois le principe posé et démontré, que deviennent les objections de détail que vous ne vous lassez point de nous répéter, infatigable Saumaise ! En vain direz-vous « que la nature même des choses pour lesquelles le parlement est convoqué démontre que le pouvoir du roi est supérieur au sien ; puisqu'il est d'usage de n'assembler le parlement que pour les affaires importantes et qui intéressent l'Etat. » Il nous suffit de vos propres paroles pour vous réfuter ; car si ce n'est pas pour ses propres affaires que le roi convoque le parlement, mais pour celles de la nation, et s'il est libre au parlement de les traiter comme il lui plaît, le roi est-il autre chose que le ministre et l'agent du peuple ? N'est-ce pas le suffrage des députés du peuple qui règle toute sa conduite ?

Et de là suit ce principe souverainement important qu'il est du devoir du roi de convoquer le parlement toutes les fois que le peuple le demande,[180] puisque ce sont les intérêts du peuple, et non ceux du roi, qui doivent être librement traités par cette assemblée. Et bien qu'on ait assez de déférence pour requérir le consentement du roi, il ne lui est pas libre d'employer avec la nation la formule dont il se sert envers les particuliers : *le roi avisera* ; car lorsqu'il s'agit du salut public et de la liberté du peuple, le roi n'a pas de voix négative [181] ; s'il l'employait en pareille occasion, il violerait son

---

179. Milton rassemble les arguments développés dans le Chapitre VIII pour conclure. Comme il le dit dans le chapitre suivant, il s'agissait de poser / démontrer un principe clé de l'argumentation en faveur du droit des peuples.
180. C'est au Parlement lui-même de déterminer quand il doit se réunir. Or, il faudrait compter avec le roi puisqu'il fait partie du Parlement, comme les Lords, du reste.
181. Il s'agit du droit de veto.

serment, regardé de tout temps comme une loi sacrée, et le principal article de la grande charte, où il est dit :[182] *le roi ne refusera ni ne différera de rendre justice à qui que ce soit.*

Hé quoi ! Les dénis de justice ne seraient *pas permis au monarque, et il lui serait libre de* refuser de justes lois ! Ce qu'il ne pourrait contre un simple particulier, il le pourrait contre toute la nation ![183] Il pourrait dans l'assemblée nationale et souveraine ce qu'il ne peut point dans les tribunaux inférieurs ! Ne serait-il pas absurde que le roi prétendît mieux connaître que la nation elle-même ce qui convient à la nation ? Aussi lisons-nous dans nos annales que jadis, lorsque les rois refusaient de confirmer les actes du parlement, tels que la grande charte ou autres statuts de cette nature, nos ancêtres les y contraignaient, et tous nos publicistes s'accordent à dire que ces lois n'étaient ni moins légitimes ni moins obligatoires que celles que le roi consentait volontairement.[184]

En disant que les rois des autres peuples ont également été soumis à un Sanhédrin, à un sénat ou à toute autre assemblée nationale, vous prouvez que ces nations ont été libres, mais non que nous dussions être esclaves, et ce n'est pas la première fois que vous devenez ainsi l'adversaire le plus dangereux de votre cause, par la manière dont vous la défendez.

« Mais nous reconnaissons, dites-vous, qu'en quelque lieu que soit le roi, en vertu de son pouvoir, il est toujours supposé présent au parlement, de manière que tout ce qui s'y fait passe pour avoir été l'ouvrage du roi lui même… » Peut-être en faisant cette observation, Saumaise, vous êtes-vous rappelé la générosité de Charles ! Car vous ajoutez immédiate-

---

(182) Chap. 29. NDR : *Magna Charta* (1215), XXIX ; 1297, XL : « À personne Nous ne vendrons, refuserons ou retarderons, les droits à la justice. » Le 15 juin 1215, les barons anglais imposent la Grande Charte à Jean sans Terre, fils d'Henri II Plantagenêt. C'est dans la prairie de Runnymede, près de Windsor, que le roi signe les 63 articles (Magna Charta Libertatum). Sous couvert de renouveler les chartes antérieures comme celle du roi Henri Ier (1100), la Grande Charte inaugure l'évolution de l'Europe vers la démocratie.

183. Argument sophistique puisque dans un cas, le roi est juge, alors que dans l'autre, il est partie.

184. L'assentiment royal est nécessaire pour qu'un projet de loi (*bill*) devienne loi (*Act*). Il a été refusé pour la dernière fois par la reine Anne, en 1707 ; il a été accordé par le souverain en personne pour la dernière fois en 1854, date à partir de laquelle il devient *de fait* automatique ; il l'était seulement *en principe* à l'époque de Milton puisque le roi disposait d'un droit de veto.

ment : *nous prenons ce qu'ils nous donnent.* Mais en admettant la supposition de la présence du roi, toujours présumé dans le parlement,[185] il n'en résultera point, comme vous le prétendez, que cette cour n'agisse qu'en vertu d'un pouvoir délégué par le roi ; dire que l'autorité royale, quelle qu'elle soit, se trouve toujours dans le parlement assemblé, est-ce reconnaître que cette autorité soit l'autorité souveraine ? N'est-ce pas plutôt la regarder comme une moindre puissance qui se réunit et s'identifie à celle qui lui est supérieure ?

Si le parlement peut casser les édits du roi, révoquer les privilèges qu'il a accordés, limiter ses prérogatives, régler ses revenus annuels et la dépense de sa maison ; s'il peut lui enlever ses conseillers les plus intimes, les arracher en quelque sorte de son sein, et les punir lorsqu'ils l'ont mérité ;[186] en un mot, s'il n'est pas de sujet que la loi n'autorise à appeler[187] du roi au parlement : si toutes ces choses peuvent être pratiquées légitimement, et si elles l'ont été plusieurs fois, ainsi que nous l'assurent nos historiens et nos meilleurs publicistes, se trouvera-t-il quelqu'un d'assez insensé pour ne pas reconnaître que l'autorité du parlement est supérieure à celle du roi ?[188] L'interrègne[189] a-t-il jamais anéanti l'autorité parlementaire ? N'avons-nous pas, au contraire, plusieurs exemples du libre choix que le parlement a fait d'un successeur au trône sans avoir égard au droit de succession ? Enfin, le parlement est l'assemblée souveraine de la nation, instituée par un peuple parfaitement libre, pour délibérer sur les affaires les plus importantes du royaume, investie du pouvoir le plus étendu : le roi n'est établi que pour mettre à exécution les lois faites dans l'assemblée nationale.[190]

Mais lorsque par une délibération publique, les commettants[191] d'un grand peuple rendent compte de leur conduite aux autres nations, n'est-il

---

185. Le roi est supposé présent en son Parlement bien qu'absent *physiquement.*
186. Comme dans le cas de Strafford, Chancelier d'Angleterre, favori de Charles Ier, exécuté en 1645.
187. FR. : interjeter.
188. C'est là où Milton voulait en venir.
189. Ce terme désigne l'intervalle entre deux règnes ; à distinguer de l'Interrègne (1642-60).
190. Assemblée nationale en France, Chambre des Communes en Angleterre. Milton prend soin de séparer le législatif de l'exécutif.
191. FR. : commettants = mandants.

pas inconcevable qu'un esclave étranger ose les accuser d'impostures ? Quoi ! Vous osez dire que chez nous, les militaires, formant la troisième partie de l'autorité royale,[192] sont entièrement à la disposition du roi, qu'il en est le chef absolu, et qu'il leur commande sans second et sans compétiteur ? Non seulement vos propres historiens, mais même ceux des nations étrangères, lorsqu'ils se sont piqués d'exactitude en parlant de notre constitution, n'ont-ils pas tous déclaré que le droit de faire la paix et la guerre avait toujours appartenu au parlement ? Les lois d'Edouard, que nos rois jurent de maintenir, établissent ce droit sans nulle exception[(193)]. Certains officiers, appelés *Heretoches*, étaient établis dans chaque province et dans chaque comté pour commander leurs forces militaires ; et ils étaient nommés, *non pas uniquement pour le roi, mais pour le bien du royaume, par l'assemblée générale et dans les différents comtés, élus par les assemblées des habitants, ainsi que doivent l'être les shérifs.* Les forces du royaume et les commandants de ces forces étaient donc anciennement, et ils doivent être encore, non au commandement du roi, mais à celui du peuple. Telles furent les légions romaines. « Toutes les légions, dit l'orateur de Rome[(194)], en quelque lieu qu'elles soient, appartiennent au peuple romain ; ainsi, l'on ne dit pas que les légions qui abandonnèrent le consul Antoine fussent à lui : elles étaient à la république. »

Guillaume le conquérant, le peuple l'exigeant ainsi, confirma, par serment, cette même loi d'Edouard ; et de plus il ajouta[(195)] « que toutes les cités, bourgs et forteresses seraient gardés toutes les nuits, de la manière que les Shérifs, les Aldermen[196] et les autres magistrats jureraient le plus convenable à la sûreté du royaume. » Et ailleurs : [(197)] Les forteresses, les villes, les bourgs furent bâtis pour la défense du peuple ; c'est pour la même fin qu'on doit les conserver dans toute leur intégrité. » Quoi ! Les municipalités, en temps de paix, auront le soin de préserver les villes et

---

192. Les deux premiers seraient-ils les Lords et les Communes ?
(193) Chap. *De Herotochiis*. NDR : *Leges Regis Edwardis Confessoris*, in John Sadler, *Rights of the Kingdom : or Customs of our Ancestors* (1649) ; 193.
(194) Premiere Philippique. NDR : En fait, Cicéron, *Xe Philippique* V, 12.
(195) Chap. 56. NDR : *Leges Regis Willelmi Conquistitoris*, # 56, *in* John Sadler, *op. cit.*, 144.
196. FR. : échevins.
(197) Dans la 6ae. loi. NDR : *Leges Regis Willelmi Conquistitoris*, # 62, *in* John Sadler, *op. cit.*, 199.

les places fortes des entreprises des voleurs et des filous ? Et dans la crise périlleuse de la guerre, l'assemblée n'aura pas le droit de les défendre contre les hostilités étrangères ou domestiques ![198] Si ce droit est contesté, je ne vois plus de raison de garder ces places, car elles ne remplissent pas le but pour lequel la loi nous dit qu'elles ont été construites. Certainement, nos ancêtres auraient tout mis au pouvoir du roi plutôt que de leur confier leurs armes et les garnisons de leurs villes ; ils sentaient trop bien que ce serait mettre leur liberté à la merci de la tyrannie ou de l'impuissance de leurs princes.

Mais le roi doit protection à ses sujets, et comment les protègera-t-il, s'il n'a point de gendarmes auxquels il puisse commander ? Il en avait pour le bien du royaume, et non pour la destruction du peuple. Écoutez la réponse d'un certain Léonard, dans une assemblée d'évêques, à Russtan[(199)], nonce du pape et procureur du roi : « Toutes les églises sont au pape comme toutes les choses temporelles sont dites appartenir au roi ; non qu'ils en soient les maîtres et les seigneurs, mais parce qu'ils doivent les protéger ; il ne leur est donc pas permis de les détruire. » Tel est l'esprit de la loi d'Edouard que nous avons citée ; et certes, il est une grande différence entre un pouvoir confié et un pouvoir absolu. Mais le pouvoir délégué suffit pour la défense du peuple ; car un général d'armée n'a que ce dernier genre de pouvoir ; cependant, il n'en défend pas moins bien ceux qui l'en ont investi. C'est en vain que nos parlements auraient autrefois réclamé les droits de la nation contre les entreprises de l'autorité royale, s'ils eussent reconnu dans le roi le pouvoir de disposer à son gré des forces militaires. De quel secours leur eût été la grande charte contre le despotisme des sabres et des baïonnettes ? [200]

« Mais, dites-vous, à quoi servirait que le parlement eût l'administration militaire puisque, sans le consentement du roi, il ne peut lever aucun impôt pour l'entretien des troupes ? » Votre principe est faux, et le parlement n'a pas besoin du consentement du roi pour imposer le peuple, dont

---

198. Application de la logique locale à la logique nationale.
(199) Sous le règne de Henri III. NDR : 1256. Voir *Carnet* 1 : 440. C'est la réponse que fit Reignold, porte-parole des prélats anglais, au légat du pape Ruscand lorsque celui-ci affirma que « Toutes les Églises appartiennent au pape. » Milton se réfère à Ralph Holinshed, *op. cit.*, III, 253.
200. L'original dit seulement : « glaive. »

il est représentant, quand il défend la cause de ses commettants ; quand il appelle[201] du trône à la nation ; quand les contributions volontaires accourent au devant de son zèle ; et vous n'ignorez pas quelles ferventes cotisations, quels sacrifices généreux on a prodigués en Angleterre pour subvenir aux frais de la guerre contre le roi.

Ne faut-il donc pas convenir avec Aristote, dites-vous encore, que le roi doit toujours être muni du pouvoir militaire afin de se trouver en état de défendre les lois ?[202] *Par conséquent, ses forces doivent être supérieures à celles du peuple.* ~ Mais un nombre de soldats fournis au roi par le peuple, et le pouvoir absolu sur le militaire, sont deux choses très différentes. Aristote ne prétend pas que le pouvoir absolu doive appartenir au roi ; il s'en explique formellement dans le passage que vous citez ; « Le prince doit avoir, dit-il, à sa disposition assez de gens armés pour être plus fort qu'aucun particulier, même que plusieurs particuliers réunis, mais non au point d'être plus fort que toute la nation ».[203] Autrement, le pouvoir dont il serait revêtu pour protéger le peuple, il pourrait l'employer à subjuguer le peuple et les lois, et c'est en ceci que consiste la différence entre un roi et un tyran. Le roi tient du consentement du sénat et du peuple un nombre suffisant de gens armés pour repousser les ennemis de l'Etat ; le tyran, au contraire, sans consulter la volonté du sénat et du peuple, et même contre leur gré, recrute, le plus qu'il peut, d'ennemis de l'Etat, d'indignes citoyens, et les arme contre le sénat et contre le peuple.[204]

Lors donc qu'en déléguant au roi ses différents pouvoirs, les parlements lui accordèrent celui d'arborer l'étendard, ils n'entendirent point qu'il pût déployer ces enseignes tutélaires contre sa patrie, mais contre ceux que le parlement aurait déclarés ennemis de l'Etat. S'il [en] agissait autrement, il devenait lui-même l'ennemi de la nation, puisque conformément à la loi d'Edouard, ou plutôt à la loi plus sacrée de la nature,[205] il perdait aussitôt le nom de roi. Plusieurs de nos statuts prouvent que les feudataires même de la couronne n'étaient tenus de lui obéir que dans les guerres auxquelles le parlement avait consenti. Il fallait encore un acte du parlement

---

201. FR. : Appeler d'un jugement devant une juridiction supérieure.
202. Aristote, *Politiques* III, xv, 15.
(203) Polit. Liv. 3. Chap. 4. NDR : En fait, Aristote, *Politiques* III, xv, 16.
204. C'est la milice.
205. Glissement de la loi politique d'un pays à la loi de nature universelle.

pour que le roi pût exiger les impôts nécessaires à l'entretien de la marine.[206] C'est ce qu'ont démontré, il y a près de douze ans, nos plus habiles publicistes,[207] dans un temps où l'autorité royale était dans toute sa vigueur, et le chancelier Fortescue l'avait déclaré longtemps auparavant. « Le roi d'Angleterre, dit-il, ne peut changer les lois ni exiger des subsides sans le consentement du peuple ; »[208] Bracton dit encore : « le roi étend sa jurisdiction sur tous ses sujets, c'est-à-dire dans ses cours de justice, où l'on juge au nom du roi, mais conformément à nos lois. Tous sont sujets du roi, c'est-à-dire chaque particulier. »[209]

Au reste, si quelquefois nos parlements ont employé envers les bons rois des expressions soumises, quoiqu'elles ne sentissent ni la flatterie ni la servitude, il ne faut pas que les tyrans prétendent s'en faire un titre ; elles ne peuvent en aucune manière préjudicier aux droits du peuple. Le gouvernement d'Angleterre n'a jamais résidé dans le roi seul, mais dans le corps politique. Aussi Fortescue s'exprime-t-il ainsi : *Le roi d'Angleterre ne gouverne pas son peuple par l'autorité purement royale, mais par un pouvoir politique, car les Anglais sont gouvernés par leurs propres lois.*[210] Cette vérité n'a pas été ignorée même des auteurs étrangers ; et Philippe du Comines, auteur très grave, dit à ce sujet dans le cinquième livre de ses commentaires : « De tous les gouvernements que j'ai pu connaître, à mon avis, il n'en est aucun de plus modéré que celui d'Angleterre, ni où le roi ait moins de pouvoir de fouler le peuple. »[211]

---

206. Milton mentionne aussi les taxes sur les importations / exportations (*Tonnage and Poundage*).

207. John Hampden, fort de la *Pétition du Droit* de 1628 interdisant l'imposition arbitraire, refusa de s'acquitter du *ship money*, que Charles Ier venait d'étendre à l'ensemble du royaume pour financer ses expéditions militaires en Écosse. Cependant, la justice devait se prononcer en faveur du roi, alléguant que dans l'urgente nécessité, il pouvait prélever l'impôt sans requérir le consentement du Parlement.

208. Sir John Fortescue (v. 1395 - v. 1477), juriste, grand juge du Banc du roi (1442), Chancelier (1461) d'Henri VI, au plus fort de la guerre des Deux-Roses. Auteur de *De Laudibus Legum Angliae*, dans lequel il loue la monarchie constitutionnelle anglaise. Ed. John Selden, 1616 ; IX, p. 26.

209. Henry de Bracton, *Fleta* III, ix, 3.

210. Sir John Fortescue, *op. cit.*, IX, p. 26 : idée centrale. « Nam non potest rex Angliæ, ad libitum su°, leges mutare regni sui. Principatu namque, nedum regali, sed & politico, ipse suo populo dominatur. »

211. Philippe de Commynes (v. 1447-1511), *Mémoires*, V, 19. Il est considéré

Vous le voyez, Saumaise![212] La loi divine, la loi de nature, les lois de mon pays prononcent d'un commun accord sur le droit des rois en général, et sur celui du roi d'Angleterre en particulier.[213] Les personnes à qui les intérêts de la vérité sont plus chers que ceux d'une faction[214] ne douteront plus que la nation anglaise ait le droit de juger ses rois, et de les condamner au dernier supplice. Quant à ceux qu'aveugle la superstition, ou qu'éblouit la magnificence des cours, jusqu'à leur faire méconnaître le prix de la liberté, que leur dirais-je de plus ?

Tantôt ils s'appuieront avec vous sur ce que *Charles fut réduit à plaider pour sa vie* ; et tantôt ils prétendront qu'on l'a condamné sans l'entendre ; comme si, après lui avoir accordé tous les délais nécessaires pour se disculper, lorsqu'il se borna à récuser l'autorité de ses juges et à décliner la juridiction du tribunal devant lequel il était comptable de ses actions, il ne devint pas juste de lui faire son procès, comme à un muet volontaire, sur des crimes de notoriété publique.

Tantôt ils diront avec vous que *Charles ne fut pas la victime d'une faction, et que sa tête ne fut frappée du glaive qu'après une longue et mûre délibération,* et tantôt *ils soutiendront que ce ne fut pas la cent millième partie du peuple qui consentit à son supplice :* comme si le reste de la nation eut été de bois ou de pierre ! Et que, chez un peuple guerrier, le vœu d'un petit nombre de citoyens eût pu immoler le monarque malgré le vœu général.[215]

Ils diront que *les évêques furent exclus du parlement* ; ils le diront encore d'après vous, Saumaise, qui avez fait un gros livre, pour prouver qu'on doit bannir les prélats de l'église.[216]

« Ils répéteront *que la chambre des pairs fut supprimée.* Eh ! Qui ne

---

comme le premier historien véritable, parce que son œuvre indique deux qualités remarquables : d'une part, l'indépendance d'esprit, d'autre part, une compréhension souvent profonde des événements comme des hommes.

212. Chapitre X dans l'original (*CPW* 4 : 507-15).

213. Aussi y a-t-il consensus : les lois, qu'il s'agisse de la loi divine, de la loi de nature ou des lois politiques, s'accordent parfaitement pour justifier l'exécution de Charles Ier.

214. Encore un habile retournement : la faction ne désigne plus les régicides, mais ses opposants (majoritaires).

215. Objection légitime.

216. *De primatu papae.* (1645)

sent qu'elle devait l'être ? Ceux qui la composaient n'étaient pas les représentants du peuple. Ils ne siégeaient au parlement que pour leur propre compte, et comme si le but de leur institution n'eut été que de faire valoir leurs privilèges ; ils ne cessaient de les opposer aux droits et aux immunités du peuple ! Enfin, c'étaient autant de créatures du roi ; ils en étaient les compagnons, les domestiques : le roi n'existant plus, il était nécessaire qu'ils redevinssent citoyens.[217]

« Mais une seule portion du parlement, et la portion la moins importante, ne devait pas s'arroger le droit de juger et de condamner le monarque ; »[218] en vérité, vous ne faites que tourner la même pierre, et certes, à ce jeu, vous lasseriez Sisyphe. Je vous ai déjà dit que du temps de nos rois la chambre des communes n'était pas seulement la partie la plus essentielle du parlement, mais qu'elle formait à elle seule un parlement complet et légal, sans la réunion des lords, et à plus forte raison sans celle des évêques.[219] Je vous ai déjà dit que le pouvoir souverain résidant toujours et à jamais dans le peuple, il peut juger et condamner le roi par ses représentants ; j'ajoute que le nombre des votants pour la mort de Charles était bien plus considérable qu'on l'exige pour rendre un décret légal lorsqu'il se trouve des membres absents, et qu'il s'agit des affaires les plus importantes du royaume ; [220] fallait-il que l'absence volontaire ou forcée de quelques membres des communes réduisît les autres à la nécessité de trahir leurs commettants, et les empêchât de sauver la nation presque asservie ? Fallait-il qu'ils abandonnassent ceux qui voulaient fonder la paix sur la liberté, pour se ranger du côté des lâches déserteurs qui voulaient acheter la paix et la mollesse au prix de la servitude ?

---

217. Cependant, la Chambre des Lords a été officiellement abolie un jour *avant* la royauté. (6 février 1649) On proclame la république le 19 mai 1649.
218. On passe au chapitre XI (*CPW* 516-19). Mirabeau supprime les références spécifiques à l'Angleterre révolutionnaire.
219. Le Parlement se réduit à la seule Chambre des Communes, laquelle comportait 507 députés en 1640. Il n'y avait que 124 lords, y compris les 24 évêques + 2 archévêques.
220. 59 membres de la Haute Cour de Justice (sur environ 70) signèrent l'arrêt de mort de Charles Ier le 27 janvier 1649.

****

CHAPITRE X

Je désirerais, Saumaise, que vous eussiez supprimé cette partie de votre ouvrage qui est relative aux crimes de Charles. Maintenant que cet infortuné a subi son sort, je crains de lui paraître trop sévère.[221] Mais puisqu'il vous a plu de vous étendre à cet égard, et de traiter ce sujet avec une merveilleuse confiance ; il faut bien que je vous fasse apercevoir l'imprudence qui vous a fait réserver pour la fin de votre écrit ce que votre cause avait de plus désespéré ; je veux dire l'examen des crimes de Charles. Lorsque j'en aurai prouvé l'existence et l'énormité, ils ne pourront que rendre sa mémoire odieuse à tous les gens de bien, et terminer ce débat polémique par une juste indignation contre vous.

Cette discussion *peut être divisée, dites-vous, en deux parties ; l'une relative à la vie privée, et l'autre aux délits que Charles a pu commettre comme roi.* Je me tairai volontiers sur ses débauches de tout genre. Eh ! Que nous importerait la vie privée de Charles s'il n'eut été qu'un simple particulier ?[222] Cependant, puisqu'il était roi, sa vie était publique, il devait l'exemple des mœurs. Tout le temps qu'il employait à la dissipation, aux divertissements (et il y consacrait presque toutes ses heures), était un vol fait à l'État qu'il s'était chargé de gouverner. Il prodiguait à des extravagances,[223] à des profusions domestiques des sommes considérables qui ne lui appartenaient point, puisqu'elles faisaient partie du revenu public de la nation ; par cette conduite, il devint d'abord un mauvais roi. Mais passons plutôt aux crimes de son administration.

Ici, vous vous plaignez *qu'on l'a condamné comme tyran, comme traître et comme meurtrier.*[224] Définissons d'abord ce qu'on entend par

---

221. C'est presque à contrecoeur que Milton aborde le dernier chapitre sur les méfaits de Charles Ier (Chapitre XII dans l'original, CPW 4 : 519-37).

222. La séparation vie privée / vie publique est un trait plus français qu'anglo-saxon.

223. FR. : « il se livrait à des extravagances, prodiguait des largesses domestiques ; il dépensait… »

224. L'avocat-général, John Cook, concluait son réquisitoire en qualifiant Charles Ier de « Tyran, traître et meurtrier, (d')Ennemi public et implacable de l'État d'Angleterre. » Se reporter à William Cobbett, Complete Collection of State Trials of England, 1163-1820 ; vol. IV (1640-49).

un tyran,[225] non conformément aux opinions vulgaires, mais d'après l'opinion d'Aristote et des auteurs les plus graves. « Il est un tyran celui qui ne considère que son bien être, son avantage particulier, et non celui du peuple. » [226] Était-ce son intérêt particulier ou celui de la nation qui guidait Charles ? Un petit nombre de faits sur une grande quantité que je ne puis qu'effleurer pourront nous en éclaircir.[227] Lorsque les revenus de la couronne ne pouvaient suffire aux dépenses de la cour, il surchargeait le peuple d'impôts ; et ceux-ci n'étaient pas plus tôt absorbés qu'il en inventait d'autres.[228] Le profit, la gloire ou le salut de l'État n'entraient pour rien dans ces sortes d'exactions. Charles ne voulait que rassembler ou dépenser dans une seule maison les richesses des trois royaumes.[229] Et lorsqu'il eut perdu toute retenue, lorsqu'il voulut se mettre au-dessus des lois, le parlement étant le seul frein qu'il eut à redouter, à l'exemple de Néron qui voulut anéantir le Sénat, il s'efforça de détruire entièrement celui de la Grande-Bretagne, ou de ne le convoquer qu'alors que cette assemblée lui serait passivement dévouée.[230] Il ne s'en tint pas là pour forcer le peuple au silence : Charles mit, en temps de paix, des garnisons de cavalerie allemande[231] et d'infanterie irlandaise dans plusieurs villes. Direz-vous que ceci ne ressemble point à la tyrannie ?

Charles ne se borna point à un despotisme purement matériel ; il voulut encore tyranniser la conscience des gens de bien : il les contraignait à des cérémonies, à des superstitions papales, par lui seul réintroduites dans l'église. Ceux qui refusaient de s'y conformer étaient emprisonnés ou

---

225. FR. : par *tyran*. Ce mot désignait, chez les Grecs, celui qui s'emparait du pouvoir par la force.
Premier chef d'accusation *in* William Cobbet, *op. cit.*.
(226) Aristote. Dixième livre des *Éthiques*. NDR : Aristote, *Éthique à Nicomaque*, VIII, x, 2. Il dit également que « la meilleure [espèce de gouvernement] est la royauté. » (Id.)
227. FR. : « nous éclairer. »
228. Comme l'extension du *ship money* ou l'impôt de chevelarie.
229. Angleterre, Pays de Galles, Écosse.
230. Identification de Charles Ier à Néron, lequel incarne la tyrannie par excellence. *Eikon Basilike* (L'Image du Roi, 1649) identifiait Charles Ier à Christ.
231. Charles Ier avait seulement demandé à Christian IV du Danemark de mobiliser ses forces pour reprendre le Palatinat au profit de son beau-frère, Frédéric V de Bohème.

bannis. Deux fois, il a fait la guerre aux Écossais sans un autre motif. Est-il encore douteux qu'il ait mérité le nom de tyran ?

Quant à celui de *traître*,[232] je vous expliquerai sur quel fondement on en a fait un chef d'accusation contre Charles. C'est au moment où il assurait au parlement, par ses promesses, ses édits et ses serments, de ne rien entreprendre contre l'Etat ; c'est dans ce moment qu'il recrutait des papistes en Irlande, qu'il envoyait des ambassadeurs secrets au roi de Danemark pour en obtenir contre le parlement des secours d'argent, de chevaux et de soldats ; c'est dans ce moment enfin qu'il tâchait de lever une armée, tantôt en Angleterre, tantôt en Écosse. Aux Anglais, il promettait le pillage de la ville de Londres ; aux Écossais, de joindre à l'Ecosse les quatre Comtés du Nord, pourvu qu'ils voulussent l'aider à détruire le parlement. Ces projets ne réussissant point, il envoie en Irlande un *Dillon*, un[233] traître chargé d'instructions secrètes pour les naturels du pays, afin qu'ils exterminent subitement tous les Anglais qui se trouveront parmi eux.

Tels sont les traits les plus remarquables des trahisons de Charles : on ne les a pas articulés sur des *ouï dire* ou sur des rumeurs populaires ; ils sont constatés par des lettres écrites de sa propre main, et munies de son sceau.[234]

Et refusera-t-on le nom de *meurtrier* au prince par les ordres duquel les Irlandais prirent les armes et firent périr, dans des tourments affreux, près de cent mille Anglais paisibles, qui ne se doutaient nullement du sort qu'on leur préparait ?[235] Ne mérite-t-il pas le nom de *meurtrier*[236] le prince qui alluma les torches de la guerre civile dans les trois royaumes ? Voilà les titres de Charles pour avoir été déclaré *tyran, traître et meurtrier*.

Mais vous prétendez que le crime de haute trahison ne peut avoir lieu qu'envers le roi.[237] Eh bien ! Sachez qu'il n'est pas un de nos publicistes qui ne reconnaisse qu'on peut se rendre coupable de haute trahison envers

---

232. Deuxième chef d'accusation, *in* William Cobbet, *op. cit.*.

233. FR. : Aucun article dans une apposition. James Dillon était l'un des leaders de la rébellion irlandaise en 1641.

234. Thomas May, *The Kings Cabinet opened : or, certain packets of secret letters & papers, written with the Kings own hand, and taken at his cabinet at Nasby-Field, June 14. 1645. By victorious Sr. Thomas Fairfax.* (1645)

235. Chiffre farfelu. L'original dit : « cinq cent mille. »

236. Troisième chef d'accusation, *in* William Cobbet, *op. cit.*.

237. Argument décisif : On ne saurait imputer le crime de lèse-majesté à la personne royale.

l'Etat comme envers le roi. J'en appelle à ce même *Glainville* que vous avez cité. « Si quelqu'un attente à la vie du monarque, ou trame quelque sédition contre l'Etat, il est coupable de haute trahison. »[238] Ainsi, lorsque quelques papistes essayèrent de faire sauter l'édifice où siégeaient les membres du parlement,[239] le roi Jacques lui-même et les deux chambres déclarèrent les auteurs de ce complot odieux COUPABLES DE HAUTE TRAHISON, non pas contre le roi seulement, mais contre le parlement et contre la nation.[240] Il est inutile sans doute de multiplier les citations sur une assertion de cette nature. Le comble du ridicule et de l'absurdité serait de vouloir qu'on pût être coupable de haute trahison envers le roi et qu'on ne pût pas l'être envers le peuple, puisque le roi ne règne que pour le peuple, et par sa grâce, ou par le consentement de ce même peuple.[241] Inutilement donc vous fouilleriez dans les livres de notre ancienne législation ; car les lois même dépendent de l'autorité du parlement, il a toujours été en son pouvoir de les confirmer ou de les abroger ; il est le seul juge de ce qui est crime de lèse-majesté ou de ce qui ne l'est pas ; puisque la majesté ne réside pas à tel point dans la personne du roi qu'elle ne soit encore plus éminente et plus auguste dans le parlement… Anglais fugitifs, évêques, docteurs, légistes, vous qui, par votre évasion, prétendez avoir laissé l'Angleterre dans un veuvage absolu de savoir et de littérature, n'est-il donc aucun de vous qui se sente le courage de défendre une aussi grande cause ? Et faut-il que vous soyez réduits à stipendier la plume mercenaire d'un misérable charlatan français ?

Un autre crime de Charles fut de retrancher quelques articles du serment qu'il devait prononcer avant d'être couronné. Quoi de plus abominable ! (Et si l'action en elle-même fut mauvaise, que dirons-nous de celui qui entreprend de la justifier ?) Est-il de plus grand attentat contre les lois ? Et rien au monde devait-il être plus sacré pour Charles que la teneur du serment ? Lequel est le plus coupable de celui qui manque aux lois ou

---

238. Ranulf de Glanville (1130-90), *Tractatus de Legibus et Consuetudinibus Regni Angliae* (1554) ; I, 2. « Justiciar, » autrement dit Premier Ministre d'Henri II, il aurait écrit le plus ancien Traité de jurisprudence anglaise, à moins que cela ne soit son neveu, Hubert Walter. Son livre créait l'illusion d'une loi nationale unique.
239. Guy Fawkes, le 5 novembre 1605, jour férié en G.-B.
240. « Contre la nation », concept capital à la fin de XVIIIe siècle, provient de Mirabeau.
241. Le roi règne pour *et* par le peuple.

de celui qui les rend complices de ses violations, ou plutôt, qui les sous-trait pour ne pas paraître les avoir violées ? C'est ainsi que Charles altère le serment le plus sacré, le falsifie et le transforme en un vrai parjure. Que pouvait-on attendre d'un règne qui commençait par un aussi indigne atten-tat contre le peuple ? N'était-il pas évident qu'il n'offrirait qu'un tissu d'iniquités, de malice et d'oppression ? Eh ! Que pouvait respecter celui qui n'avait pas craint de corrompre et de dénaturer la loi qu'il regardait comme le seul obstacle au renversement de toutes les autres ?… Mais voyons comment Saumaise essaye de justifier une pareille infamie.

« Le serment, dites-vous, n'est pas plus obligatoire pour les rois que les lois mêmes ; or, les rois promettent de se conformer aux lois, quoiqu'ils soient réellement au-dessus d'elles. » Le serment le plus solennel n'est donc, selon vous, qu'une formule insignifiante,[242] et qu'il est permis aux rois d'enfreindre quand il leur plaît. Qu'on dise, s'il est possible, quelque chose de plus absurde et de plus impie ! Charles a réfuté lui-même votre exécrable doctrine ; car, n'osant point violer son serment à découvert, il a eu recours au subterfuge et à la fraude pour éviter de s'y conformer : en un mot, il aima mieux corrompre et falsifier son serment que se montrer évidemment parjure.

« Le serment, dites-vous, est mutuel entre le peuple et le roi ; mais le peuple jure d'être fidèle au roi, et non le roi au peuple. » Ainsi, celui qui promet et qui jure de faire une chose ou de remplir un devoir n'engage pas sa foi à ceux qui exigent son serment ! Quelle odieuse et pitoyable subti-lité ! Chaque roi jure *fidélité, service, obéissance* au peuple, relativement à l'exécution de tout ce qu'il a promis par son serment. Si plusieurs rois sont couronnés et règnent sans avoir fait le serment d'usage, il en est de même des peuples. D'ailleurs, la partie du peuple qui jure fidélité ne la pro-met pas uniquement au roi, mais à l'Etat et aux lois qui investissent le monarque de la couronne.[243] Leur serment au roi n'est que conditionnel, c'est-à-dire, s'il agit conformément aux lois que les communes auront préférées. (*quas vulgus elegerit.*) C'est cette dernière clause, *quas vulgus elegerit*, que Charles eut soin de retrancher de la formule avant le cou-ronnement.

---

242. L'original précise qu'il s'agit d'un serment « juré sur les évangiles. » (*CPW* 4 : 529)

243. C'est-à-dire à l'ensemble du corps politique : il n'y a plus de relation bilaté-rale roi - sujets.

« Le roi, selon vous, peut faire grâce pour la trahison et pour les autres délits, ce qui prouve assez qu'il n'est soumis à aucune loi. » Le roi peut, en effet, pardonner le crime de trahison, non pas contre l'Etat, mais contre lui-même. Tous les hommes ont le même privilège ; chacun peut pardonner les torts qui lui sont faits personnellement. Le roi peut-être avait quelquefois le droit de remettre des offenses qui lui étaient étrangères. [244] Mais, parce que dans certains cas, il pouvait sauver la vie à quelque malfaiteur, s'ensuit-il qu'il eût le droit de détruire tous les bons citoyens ? Si le roi n'est pas tenu de comparaître devant un tribunal inférieur, s'il peut répondre en pareille occasion par un délégué, s'ensuit-il qu'alors que toute la nation le cite au parlement,[245] il lui soit libre de s'y rendre ou de ne pas s'y rendre, et qu'il puisse être dispensé de répondre en personne ?

Saumaise, vous êtes expulsé de vos derniers retranchements. Car vous n'espérez pas que je repousse le reproche que vous faites à ma nation de chercher à justifier sa conduite par celle des Hollandais.[246] Eh ! Comment les Anglais auraient-ils besoin de se justifier par l'exemple des nations étrangères ? [247] Ils ont des lois nationales relativement à la circonstance qui porta la tête de Charles sur l'échafaud ; et ils ont agi conformément à ces lois. Ils avaient à suivre l'exemple de leurs magnanimes aïeux, qui jamais n'accordèrent à leurs princes un pouvoir absolu, et qui en punirent plusieurs pour avoir affecté la tyrannie. [248] Ils sont nés libres, indépendants de tout autre nation, et maîtres de faire, à l'avantage de leur gouvernement, les lois qu'ils jugent les plus convenables. Ils ont surtout une haute vénération pour la plus ancienne des lois que la nature

---

244. FR. : étrangères.
245. Corps législatif, le Parlement est également organe judiciaire : il est en effet la plus haute juridiction du royaume.
246. Les sept provinces de l'Union d'Utrecht se manifestent en 1581 par une déclaration solennelle (Placcaet van Verlatinghe) annonçant qu'elles ne reconnaissaient plus Philippe II comme leur souverain, puisqu'il ne s'était pas acquitté de ses obligations envers ses sujets. Elles offrirent la souveraineté des Pays-Bas au duc d'Anjou, mais en limitant ses pouvoirs à l'extrême. Voir *The Tenure* 3 : 226-27. Philippe II est présent dans la mémoire collective anglaise puisqu'il avait lancé l'invincible Armada à l'assaut des rivages de l'île (1588).
247. On voit le patriotisme de Milton.
248. Comme Richard II.

157

même a dictée. Cette loi veut impérieusement que toute autorité civile ait pour but le salut des bons citoyens, et non les passions des rois. [249]

Elles sont donc écartées pour jamais, loin de mes compatriotes, [250] les odieuses imputations dont cherchait à les flétrir un sophiste mercenaire. Si j'ai défendu les droits du peuple contre les iniques prétentions des princes, ce n'est par aucun sentiment de haine contre les rois, mais par une juste indignation contre les tyrans. [251] Maintenant c'est à vous, ô mes dignes concitoyens, c'est à vous [de] réfuter, par la sagesse de votre conduite, les insolents libelles d'un écrivain sans pudeur. Lorsque vous étiez accablés de tous les genres d'oppression, la justice divine a permis que vous fussiez délivrés des deux fléaux les plus funestes à la vertu : la superstition et la tyrannie. On ne vous pardonnerait plus de n'être qu'un peuple vulgaire. Après avoir vaincu vos ennemis dans les combats, méfiez-vous du poison de la prospérité. Redoublez de vigilance sur vous-mêmes, et ne souffrez point que les loisirs de la paix enfantent chez vous des passions corruptrices.[252]

S'il en était autrement (que le ciel nous en défende !),[253] si vous déshonoriez votre liberté par la licence de vos mœurs, si votre conduite future tendait à faire suspecter l'héroïsme de votre conduite passée, alors, j'en fais serment en terminant cet écrit, je serais votre premier dénonciateur au tribunal de l'opinion, et ma voix s'élèverait contre vous comme elle a foudroyé vos calomniateurs. [254]

FIN

---

249. Il ne s'agit plus du salut public, de l'ensemble des hommes constituant la communauté politique, mais d'une élite constituée des meilleurs citoyens, « des seuls hommes vraiment sages, voire magnanimes, désireux de liberté ou capables de l'utiliser. » (*CPW* 4 : 343)
L'Etat miltonien est une méritocratie.
250. L'original précise : « avec l'aide de Dieu. »
251. Nuance importante. C'est vraisemblablement pour cela que Milton a échappé au gibet en 1660.
252. Milton apelle le peuple anglais à la maîtrise de soi.
253. L'original dit : « ; et que le ciel nous en défende; »
254. Textes amers de 1660. Cf. Sir Walter Raleigh, *The Cabinet-Council* (Londres, 1658), édité par Milton.

Bibliographie sommaire

*L'astérique * signifie que le livre est encore disponible.*

Armitage, David, Himy, Armand, Skinner, Quentin : *Milton and Republicanism,* Cambridge, Cambridge UP, *Ideas in Context*, 1995. *

Barker, Arthur Edward : *Milton and the Puritan Dilemma*, Toronto, University of Toronto Press, 1942.

Bellanger, Claude, Godechot, Jacques, Guiral, Pierre, Terrou, Fernand (dir.), *Histoire générale de la presse française*, Paris : PUF, 1969-1976.- 5 vol. ; vol. 1 : *des origines à 1814,* 1969.

Borot, Luc, *Civisme et citoyenneté... une longue histoire*, Université Paul Valéry, Montpellier, 1999 ; 188 p. *

Chaussinand-Nogaret, Guy : *Mirabeau,* Paris, Seuil, 1982, 336 p. *

Corns, Thomas N., John Milton : *The prose works*, New York : Twayne publ. ; London : Prentice Hall, 1998 ; 165 p. *

Cottret, Bernard : *Cromwell,* Paris, Fayard, 1992 ; 542 p. *

- : *La glorieuse Révolution d'Angleterre, 1688*, Paris, Gallimard, 1988 ; 252 p. *

Danielson, Dennis : *The Cambridge companion to Milton*, Cambridge : Cambridge university press, 1re ed., 1989 ; 2e ed., 1999. *

Flannagan, Roy (ed.) : *The Riverside Milton,* New York, Houghton Mifflin, 1998. *

Furet, François, *La Révolution française*, Paris, Hachette Littérature, 1999 ; 544 p. *

Geffroy, A.-M. : *Etude sur les Pamphlets Politiques et Religieux de Milton*, Paris, Stassin et Xavier, 1848.

Hill, Christopher : *The Experience of defeat : Milton and some contem-poraries*, London : Faber and Faber, 1984 ; 342 p. *

- : *Milton and the English Revolution*, London, Faber and Faber, 1977.

Hughes, Merritt Y. (ed.) : *Complete Poems and Major Prose*, Indiana-polis, Odyssey-Bobbs-Merrill, 1957.

Kendrick, Christopher : *Milton : a study in ideology and form*, New York ; London : Methuen, 1986 ; 240 p. *

Lejosne, Roger : *La Raison dans l'œuvre de John Milton*, Paris : Didier, 1981 ; 544 p. *

Lessay, Franck : *Le débat Locke - Filmer*, Paris, PUF, 1998 ; 416 p. *

- : *Souveraineté et légitimité chez Hobbes*, Paris, PUF, 1988 ; 296 p. *

Loewenstein, David and Turner, James Grantham (Ed.) : *Politics, poetics, and hermeneutics in Milton's prose,* Cambridge ; New York : Cambridge university press, 1990 ; 282 p. *

Lutaud, Olivier : *For the Liberty of Unlicensed Printing / Pour la liberté de la presse sans autorisation ni censure*, Paris, Ed. Aubier-Fammarion bilingue, 1969.

159

Milton, Mirabeau : rencontre révolutionnaire

- : *Les Deux révolutions d'Angleterre : documents politiques, sociaux, religieux*, Paris, Aubier-Montaigne, 1978 ; 399 p. [1]

Martinet, Marie-Madeleine : *John Milton: Ecrits politiques*, Paris, Belin, 1993. *

Michaud : *Biographie universelle*, Paris, Delagrave / Desplaces, 1843-65, 45 vol. ; article « Mirabeau. »

Michelet, Jules : *Histoire de la Révolution française*, Paris, Laffont, vol. 1 : 1998 ; vol. 2 : 1999.

Milner, Andrew : *John Milton and the English revolution* : a study in the sociology of literature, London : Macmillan press, 1981 ; 248 p. *

Milton, John : *Le Paradis perdu, poëme par Milton*, édition en anglais et en français... ; A Londres : J. de Boffe, 1792 ; 2 vol. in-fol., pl. en couleurs.

Pocock, John Greville Agard, Borot, Luc, *Le moment machiavelien*, Paris, PUF, 2000 ; 648 p.

Saillens, Emile : *John Milton, poète* combattant, Paris, Gallimard, 1959 ; 351 p.

Saurat, Denis : *La Pensée de Milton*, Paris : F. Alcan - R. Lisbonne, 1920 ; 367 p.

Soboul, Albert, *La Révolution française*, Paris, Gallimard, nouv. éd. rev. & augm., 1984 ; 605 p. *

Stern, Alfred : *Vie de Mirabeau*, Paris, Champion, 1995. *

Tournu, Christophe : *Théologie et politique dans l'œuvre en prose de John Milton*, Villeneuve d'Ascq, PU du Septentrion, 2000 ; 488 p. *

Vovelle, Michel, *La Révolution française : 1789-1799*, Paris, Livre Club Diderot : Messidor, 1987 ; 5 vols.

Wolfe, Don M., et al (eds.) : *Complete Prose Works of John Milton*, New Haven, Yale University Press, 8 vols., 1953-82.

Wolfe, Don Marion : *Milton in the Puritan Revolution*, London, Cohen & West, 1941.

---

1. A noter Lutaud, Olivier, *Des révolutions d'Angleterre à la Révolution française : le tyrannicide et « Killing no murder, Cromwell, Athalie, Bonaparte », essai de littérature politique comparée*, La Haye, Nijhoff, 1973 ; 443 p.

Imprimé en France
Dépôt légal :août 2002